LA VISUALISATION CRÉATRICE

MELITA DENNING
et
OSBORNE PHILLIPS

LA VISUALISATION CRÉATRICE

TRADUIT DE L'AMÉRICAIN
PAR JEAN-PAUL MARTIN

J'AI LU
NEW AGE

Cet ouvrage a paru sous le titre original :

THE LLEWELLYN PRACTICAL GUIDE TO
CREATIVE VISUALIZATION

NOTE

Les « Points d'étude » exposent les grandes lignes de certains concepts importants du chapitre qui suit – non pas pour en résumer le contenu mais pour souligner certains points afin d'attirer l'attention du lecteur sur le contexte dans lequel il va les retrouver.

Chaque chapitre est suivi d'un « Contrôle » dont le but est d'insister sur certains concepts ou exercices présentés. Le « Contrôle » est bien plus qu'une simple révision; il est destiné à rappeler les étapes de l'évolution constante et progressive dans la pratique de cette méthode moderne de développement des facultés cachées de l'esprit et du psychisme.

INTRODUCTION

Qu'est-ce que la Visualisation Créatrice ?

Avant de répondre à cette question, je puis vous assurer que la visualisation créatrice est à la portée de chacun. (En fait, nous la pratiquons tous sans le savoir, mais, en général, de façon « négative ».) Le plus difficile a été réalisé voici bien longtemps – par la création et l'évolution de cet être complexe et doté d'extraordinaires facultés qu'est l'homme.

Nous nous préoccupons de l'utilisation efficace des ressources naturelles de la planète, alors que nous laissons en friche nos facultés. *Nous sommes nous-mêmes la ressource la plus inexploitée qui soit !* Nous disposons de ce merveilleux ordinateur qu'est le cerveau. Nous avons la Conscience. Et nous constituons une partie organique de l'univers, qui est infini. Or quand nous prétendons n'utiliser que 10 % de notre potentiel, nous sommes en fait trop optimistes. Ces 10 % constituent peut-être une moyenne pour les plus brillants d'entre nous, mais les autres n'atteignent même pas ce pourcentage, ce qui explique pourquoi le succès n'est pas donné à tout le monde.

Qu'entendons-nous par « succès » ? Il ne s'agit pas seulement d'argent ou de biens matériels. Il s'agit de donner un sens à notre vie et d'obtenir ce qui nous tient à cœur : santé, bonheur, sérénité; un mariage heureux, la sécurité matérielle, de brillantes études, une carrière passionnante; ou encore, le plaisir de créer, de peindre des tableaux, de construire des ponts... En résumé, il s'agit de devenir celui ou celle que l'on a décidé d'être.

Qu'est-ce que la Visualisation Créatrice ? C'est la clé du succès. Il faut se faire une idée, ou une *image*, de ce que l'on veut *créer*. Comprendre que pour atteindre le but que l'on s'est fixé (quel qu'il soit), il nous faut d'abord imaginer que notre rêve est devenu réalité, puis *accomplir* cette transformation.

La Visualisation Créatrice est ce qui différencie l'être humain des autres espèces, pour lesquelles la notion de succès se limite essentiellement à la survie. Nous pouvons bâtir notre propre destin... l'accepter comme une responsabilité personnelle. Vivre en assisté ne vous rendra jamais ni riche ni heureux; on peut voler pour avoir de l'argent, mais on se prépare ainsi des lendemains difficiles. De même, celui qui mange son blé en herbe apaise sa faim aujourd'hui mais n'aura plus rien à semer pour la prochaine récolte.

Mais le succès est bien plus que la simple survie ! Nous aspirons à bien d'autres choses

– pour la plupart mesurées, en termes économiques ou spirituels, par ce qui nous sépare de la survie. Nous pouvons désirer des objets, ou bien la beauté, rechercher le respect ou l'admiration, aspirer à un certain statut, à la reconnaissance ou à la sécurité; souhaiter trouver l'amour, avoir des enfants, des amis, acquérir la connaissance, la compétence, le pouvoir... Ces buts, nous pouvons les atteindre étape par étape, en gravissant des marches, de la plus basse à la plus haute, chacune permettant d'accéder à la suivante. Nous sommes capables de nous fixer un plan, de tracer une courbe pour passer d'un niveau de réussite à l'autre. C'est une méthode logique, mais il faut tout d'abord apprendre à analyser ses objectifs et à dresser de tels plans.

Mais le succès, ce n'est pas seulement atteindre un but et passer au suivant. Parfois intervient ce que nous appelons le « facteur chance » : la possibilité de créer les occasions qui attirent le succès. Le désir est une forme d'énergie, une « électricité émotionnelle ». Quand on branche un appareil électrique, on obtient toujours un champ magnétique. Ce qui peut se traduire de deux façons.

Un président des États-Unis a dit un jour : « La seule chose dont nous devons avoir peur est la peur elle-même. » La peur attire précisément ce que nous craignons ! La peur est un sentiment particulièrement intense et cette énergie, liée à une image de la chose redoutée, provoque les circonstances mêmes qui la font naître.

Prenons un exemple simple : on peut aisément marcher sur une planche posée à terre; mais si l'on place cette même planche entre deux escabeaux, on se « voit » en train de tomber et la chute est presque inévitable ! (Alors que sous hypnose, où l'on remplace l'image de la chute par « l'illusion » que la planche demeure au sol, on atteindra l'extrémité sans tomber.)

Cependant, le « facteur chance » est bien davantage que le fait de se « créer des illusions » ! À la différence des diverses techniques enseignées dans ce livre pour atteindre des buts précis, il s'agit là d'une dynamique positive d'ordre général que l'on assimile d'ordinaire à la confiance en soi, à l'assurance, au succès. Elle tient compte de « l'image positive » que l'on se fait de la personne que l'on désire être, de la vie que l'on souhaite mener, des possibilités de la *chance* que l'on rêve d'avoir. Or la chance ne se présente pas qu'une fois, mais il faut savoir la provoquer, la cultiver. Il faut semer et arroser pour récolter ses fruits. Et, curieusement, il apparaît qu'un facteur chance puissant préserve des risques d'échec. Il s'agit d'une AURA ou « Champ de Force » à l'intérieur duquel se crée un milieu particulier.

Comment expliquer qu'un individu réussisse là où un autre a échoué ? On constate des échecs chez des individus très cultivés et bardés de diplômes – ce n'est donc pas simplement une question d'éducation. On observe des échecs dans les familles aisées comme dans les milieux plus défavorisés. La classe sociale n'est donc pas seule en cause. Certains échouent dans tout ce qu'ils entreprennent, quelle que soit l'aide qu'on leur apporte, quelles que soient les chances qui leur sont offertes.

D'autres finissent par atteindre le succès, surmontant obstacles et handicaps, même après avoir subi plusieurs échecs. D'autres encore réussissent d'emblée tout ce qu'ils entreprennent, ne connaissent jamais le moindre échec. Et leur succès est parfois si grand, leur « chance » si incroyable, qu'on les croirait bénis des dieux. Ceux-là sont des gens qui « croient en eux » et en ce qu'ils entreprennent. Leur vision est si vaste qu'elle peut englober un pays, un peuple, le monde entier...

Quelles que soient les apparences, LA CLÉ DU SUCCÈS réside dans les techniques de Visualisation Créatrice enseignées dans cet ouvrage. Si l'on admet que nous possédons tous un potentiel bien supérieur à celui que nous utilisons normalement, nous dirons que la VISUALISATION CRÉATRICE EST UNE TECHNIQUE PERMETTANT DE MOBILISER NOS RESSOURCES INTÉRIEURES POUR ATTEINDRE LE SUCCÈS.

Chacun de nous possède en lui un moteur très puissant qui, la plupart du temps, tourne au ralenti; un super-ordinateur pratiquement inutilisé; une formidable dynamo qui ne produit qu'une partie de l'énergie qu'elle est capable de générer; or il existe un « programmeur » qui peut faire fonctionner tout cela à plein régime pour nous permettre de réaliser tous nos désirs. LA VISUALISATION CRÉATRICE DONNE LES INSTRUCTIONS AU PROGRAMMEUR.

Notre esprit conçoit l'univers en trois dimensions, nous parlons parfois de quatre dimensions alors que nous vivons, en fait, dans un monde multi-dimensionnel. Et c'est à partir de l'une de ces autres dimensions que nous pouvons créer les conditions du succès. LA VISUALISATION CRÉATRICE OUVRE DES VOIES DANS CES DIMENSIONS INEXPLORÉES ET NOUS APPORTE LA RICHESSE DE L'UNIVERS.

Cet ouvrage ne vous raconte pas des histoires merveilleuses, il ne vous dit pas que richesse, bonheur et succès peuvent être vôtres, qu'il vous suffit d'y croire, de penser « de façon positive ». Grâce à une série d'exercices faciles, il vous apprend à programmer votre esprit, pour réaliser vos désirs, pour CHANGER VOTRE VIE.

Le succès de chacun multiplie les chances de tous – n'oubliez pas que l'univers est infini, que lorsque nous utilisons les techniques de la Visualisation Créatrice, la richesse que nous en obtenons ne retire rien aux autres. Nous contribuons au contraire à l'enrichissement de tous.

LA VISUALISATION CRÉATRICE FAIT TRAVAILLER L'UNIVERS POUR NOUS. Elle permet une relation positive avec la dynamique de l'univers. Tout acte créatif entraîne une plus grande harmonie avec la « Force » qui se trouve derrière tout ce qui existe.

Puisse la Force être avec vous!

Carl Llewellyn WESCHCKE

POINTS D'ÉTUDE

1

La Visualisation Créatrice est un pouvoir que nous possédons tous.

1. La Visualisation Créatrice, utilisée avec compétence et en pleine connaissance de cause, PEUT CHANGER VOTRE VIE !

2. La plupart d'entre nous pratiquent la Visualisation Créatrice quotidiennement, mais plus souvent de façon destructive que constructive parce que nous ne le faisons pas de façon consciente, efficace et bénéfique... ce qui entraîne la malchance au lieu de la chance !

3. Nous gaspillons la plus grande partie de notre puissance créatrice du fait de conflits internes – frustrations, inhibitions, peurs irraisonnées – qui nous privent du succès.

4. Pour libérer ce pouvoir naturel en vue de la réalisation de vos désirs, *il faut réunir toutes vos facultés, vos sens, votre cerveau même, en un « champ unifié »*, afin d'éliminer toutes les barrières internes qui vous empêchent d'atteindre vos objectifs.

a. L'unité exige une méthode :

1. Contrôlée par votre *Esprit Rationnel*
2. Conforme à vos *Émotions et Sentiments*
3. Acceptée par vos *Instincts*
4. Faisant appel à vos *Sens*
5. La première des exigences, semblable au « rêve éveillé », est destinée à RÉVEILLER VOTRE NATURE ÉMOTIONNELLE.

a. Il convient tout d'abord :

1. De vous faire une image du but que vous souhaitez atteindre.

2. D'étoffer ce but imaginé par l'action physique réelle ou imaginée, afin *d'associer les mondes intérieur et extérieur.*

b. Cette activité est rendue plus intense par :

1. Le silence – inutile de gaspiller votre énergie interne en parlant de l'expérience que vous venez d'entreprendre.

2. La visualisation de tout ce qui peut être en rapport avec le but à atteindre – il faut *voir* les choses telles qu'elles se présenteront.

3. La prise de conscience, dès maintenant, de la satisfaction que vous retirerez de cette merveilleuse aventure...

Contrôler et diriger son destin

1

Extrait de conversations enregistrées dans la rue :

Un homme d'âge mûr :

– Bert ? Oh, oui, il s'en tire très bien ! Mais il a toujours su ce qu'il voulait. Il marche sur les traces de son père – et il lui ressemble un peu plus chaque jour !

Une jeune femme à ses amies :

– Évidemment, je suis folle de joie. C'est fantastique ! Mais vous voulez que je vous dise ? Je me voyais parfaitement dans ce rôle. Je me suis tout de suite dit : « Ça, c'est moi, ce rôle est pour moi ! » J'étais *sûre* que ça marcherait !

Un autre homme :

– Pour l'instant ça va, mais je croise les doigts. Les enfants vont bien, ma femme aussi, le boulot marche bien – mais tu connais ma chance ! Crois-moi, j'attends la tuile !

Il n'y a rien de particulièrement insolite dans ces dialogues. On entend ce genre de réflexions tous les jours. Elles sont l'expression de personnalités très différentes, mais ont en commun un facteur particulièrement intéressant : *Consciemment ou inconsciemment, pour leur bonheur ou leur malheur, la plupart des gens font de la Visualisation Créatrice.*

Cet ouvrage a pour but de vous apprendre, de façon détaillée, à pratiquer la Visualisation Créatrice. Mieux encore, il vous dit comment faire de la Visualisation Créatrice :

– DE FAÇON CONSCIENTE
– DE FAÇON EFFICACE
– DE FAÇON BÉNÉFIQUE

pour enrichir votre vie et atteindre vos objectifs personnels.

Vous apprendrez, dans les pages qui suivent, une méthode structurée et efficace qui vous permettra, si vous la suivez consciencieusement, d'acquérir progressivement UN IMMENSE POUVOIR SUR LE CONTRÔLE ET L'ORIENTATION DE VOTRE AVENIR.

Vous apprendrez également à *éviter* de vous livrer à la Visualisation Créatrice lorsque vous aurez atteint votre objectif ou lorsque vous serez prêt à céder à vos craintes.

CONNUE DEPUIS DES TEMPS IMMÉMORIAUX, ENSEIGNÉE AUX ADEPTES DE DIVERSES RELIGIONS, LA VISUALISATION CRÉATRICE CONSTITUE LA TECHNIQUE INDIVIDUELLE LA PLUS PUISSANTE QUI SOIT POUR S'ACCOMPLIR TOTALEMENT ET TIRER PARTI DE SES APTITUDES. Le domaine de la Visualisation Créatrice va du simple désir de l'homme des cavernes – se procurer de la nourriture – jusqu'à la sublime aspiration du mystique oriental – se libérer de tout désir. Dans tous les cas, la réponse est la même : savoir – *voir* – que ce que vous recherchez EST DÉJÀ EN VOTRE POSSESSION.

Dans certains cas, cette vérité est évidente dès le premier abord et il est inutile de la creuser davantage. Mais pour la plupart des individus, il faut quelque chose de plus pour en arriver à la satisfaction souhaitée. Ceci n'est dû ni au hasard ni à une loi universelle, mais simplement au fait que nous sommes des créatures extrêmement complexes. Les différents niveaux de notre psychisme – intelligence, émotions, inconscient – ainsi que notre système nerveux, nous entraînent dans des directions différentes. Cependant, malgré cette désunion, nous sommes, pour la plupart, certains de ce que nous désirons, qu'il s'agisse de quelque chose de matériel ou non. Il est essentiel, en fait, d'harmoniser *toutes* nos facultés psychologiques, sensorielles et intellectuelles pour qu'elles tendent vers un même objectif. Cette harmonisation peut prendre un certain temps, et lorsque nous y parvenons, nous pouvons nous heurter à une certaine inertie, voire à l'opposition du monde extérieur. Mais nous pouvons TOUS y parvenir : la goutte d'eau finit par creuser le roc, l'herbe arrive à soulever les pavés, la volonté fait des miracles !

Comment parvenir rapidement et efficacement à mettre en harmonie tous les niveaux de l'être pour en faire une force unique au service de ses aspirations ? Comment dégager une méthode *rationnelle*, mais qui fasse également appel aux *sentiments*, aux *instincts* et aux *sens* ?

Il existe en fait plusieurs méthodes. On peut mobiliser les sens par les *Sons* (la parole) ou encore par l'*Action* – nous verrons ces deux exemples plus tard – mais le premier sens à mettre à contribution est celui de la *Vue*.

C'est surtout par la vue que nous progressons dans ces techniques destinées à obtenir ce que nous souhaitons. Bien sûr, nous avons aussi, fort heureusement, des moyens matériels de satisfaire nos désirs. Après tout, nous vivons dans un monde fait de matière, et même si notre principale ambition est de finir au paradis, c'est en ce bas monde que s'exprime ce souhait. En fait, toutes les religions s'accordent à penser que ces questions doivent être réglées alors que nous sommes encore sur terre !

Reprenons maintenant nos deux exemples : le mystique oriental qui veut se détacher de tout désir et l'homme des cavernes qui chasse pour se nourrir. Si la différence est si grande entre leurs aspirations, trouverons-nous le même écart dans leur manière d'y parvenir ?

En fait, l'un et l'autre sont des hommes qui cherchent à satisfaire des désirs propres à la nature humaine, mais à des niveaux différents. En effet, si les détails diffèrent, *les méthodes fondamentales demeurent les mêmes*. Le mystique a son Bouddha ou ses divinités, c'est-à-dire une image ou un symbole de l'idéal qu'il espère atteindre. En pleine méditation transcendantale, il utilise sa vue pour graver ce symbole dans son esprit; s'il pense au Bouddha assis, il s'assoira afin de se tenir dans la même posture que son maître. Il utilisera également les formules appelées « mantras » pour guider son esprit dans la même voie au moyen de l'ouïe.

L'homme des cavernes, quant à lui, dessinait avec soin et précision les animaux qu'il espérait tuer à la chasse. Souvent, des lances sont aussi représentées et l'on sait que de vraies lances étaient parfois projetées sur ces gravures : l'homme des cavernes, en fait, joignait à la visualisation *l'action physique* correspondante. Nous ignorons, bien sûr, s'il psalmodiait, mais c'est probable, si l'on se réfère aux rites encore pratiqués de nos jours par certaines peuplades d'Afrique. On trouve également parmi les gravures rupestres de France, la silhouette célèbre, unique et précieuse d'un magicien, portant un masque d'animal et apparemment en train de danser; là encore, nous avons une simulation physique et des gestes particuliers auxquels se livre un individu au bénéfice de la communauté tout entière.

Pourquoi ces actions créatrices – l'image, les gestes, les incantations – ont-elles été utilisées par des individus de pays et de cultures diverses et dans des buts tout à fait différents, pendant des millénaires ?

PARCE QU'ELLES SONT EFFICACES. ELLES CONDUISENT AU RÉSULTAT SOUHAITÉ : HARMONISER TOUS LES NIVEAUX DE L'ÊTRE AVEC LE DÉSIR AFIN QU'AUCUN OBSTACLE NE GÊNE SA RÉALISATION.

ET LORSQU'IL N'EXISTE PLUS D'OBSTACLE À NOTRE BUT, IL NE PEUT PAS PLUS NOUS ÉCHAPPER QUE LE FER N'ÉCHAPPE À L'AIMANT !

Cela demeure vrai, que nous souhaitions acquérir un pouvoir intérieur, un talent, un bien matériel, ou que nous souhaitions quelqu'un qui nous aide, ou nous aime... Ou, pourquoi pas, tout cela à la fois ?

On peut et on doit tirer le plus grand profit d'une vive imagination, de la possibilité de « rêver éveillé ». Mais cela n'est pas indispensable au succès et ne garantit pas une Visualisation Créatrice efficace. *Le « savoir-faire » est essentiel.* Certains individus le possèdent tout naturellement ou y parviennent intuitivement ; mais TOUTE VISUALISATION N'EST PAS CRÉATRICE, et si nous ne savons pas ou n'apprenons pas à *lier les niveaux extérieurs et intérieurs* à ce que nous tentons de réaliser, l'imagination la plus vive ne nous sera d'aucune utilité.

Thomas Chatterton, poète anglais du XVIIIᵉ siècle, fit preuve dès l'enfance d'un esprit particulièrement rapide et d'une imagination fertile. Il s'était créé un monde onirique de personnages historiques et imaginaires qui lui permit d'écrire de merveilleux poèmes. Il devint également l'auteur d'œuvres en prose pour diverses revues et, à l'âge de dix-sept ans, quitta Bristol pour Londres. Horace Walpole, homme politique et écrivain célèbre, devait dire de lui : « Je ne crois pas qu'exista jamais un aussi magistral génie. » Outre son style de poésie « à l'ancienne », Chatterton se tailla une réputation de fin satiriste. Pourtant, malgré ces atouts, il ne parvint jamais à gagner de quoi vivre et mourut dans la misère alors qu'il n'avait pas encore dix-huit ans. Sa disparition bouleversa le monde littéraire de l'époque. On peut, bien sûr, attribuer ce destin tragique à divers facteurs extérieurs : l'une de ses œuvres resta impayée après sa parution, une autre vit sa publication retardée, un de ses poèmes fut refusé car on trouvait son style trop étrange. Aucune de ces mésaventures ne fut, en soi, réellement grave, mais elles arrivèrent simultanément et se répétèrent, alors que Chatterton manquait des ressources nécessaires pour surmonter l'orage.

En analysant les facteurs internes, nous voyons que les fantaisies pseudo-historiques de sa poésie, tout comme la satire mordante de sa prose, l'avaient poussé à consacrer son imagination féconde non pas à se rattacher au monde qui l'entourait mais à s'en séparer. Ses héros avaient une famille pour les épauler, ou bien la littérature ne constituait pour eux qu'un à-côté, de sorte qu'ils pouvaient vivre en solitaires avec leurs idées. Ce qui ne signifie nullement que l'on doive bannir l'originalité ou renoncer à ses convictions, mais que l'imagination doit demeurer liée à la *réalité* : À LA RÉALITÉ SPIRITUELLE, À LA RÉALITÉ RATIONNELLE, À LA RÉALITÉ ÉMOTIONNELLE, À LA RÉALITÉ MATÉRIELLE.

Cela signifie également qu'il convient de tenir compte d'un ÉQUILIBRE dans ce que l'on décide de visualiser. Nous y reviendrons.

Comme chaque fois que vous visualisez vos facultés intérieures, évitez d'en parler autour de vous. Il suffit de dire que vous vous intéressez à ces questions. (Ne vous confiez pas même à vos proches, et partez du principe que le peu que vous direz sera répété tôt ou tard !) Outre les répercussions sur votre travail intérieur de ce que les autres pourront vous dire, *ou même de ce qu'ils peuvent penser*, le simple fait d'en parler risque de désamorcer votre propre activité.

Quand vous êtes excité, perplexe ou troublé, la façon la plus rapide de retrouver une certaine sérénité est souvent d'en parler. Il n'est pas certain que cela vous aide à long terme, mais sur le moment, ces confidences ont généralement pour effet de modifier le cours de vos pensées, de vous faire oublier vos préoccupations. C'est pourquoi vous devez vous montrer prudent avec les pensées et images de Visualisation Créatrice *que vous ne voulez pas voir se dissiper :* préservez-les de tout contact COMME VOUS PRÉSERVERIEZ UNE JEUNE POUSSE FRAGILE D'UNE PLANTE QUE VOUS CHÉRISSEZ !

Ne divulguez pas l'action *intérieure* que vous avez entreprise. Quant à votre travail extérieur, il sera plus difficile à dissimuler, et si les autres viennent à se poser des questions, peut-être croiront-ils avoir compris tout le processus. Qu'importe, du moment que le résultat souhaité est atteint !

Voici un exemple : un jeune homme était ouvrier dans un atelier; sa tâche consistait à meuler de petites pièces, mais il rêvait, comme ses compagnons, de passer aux tours, travail plus prestigieux et mieux rémunéré.

Mais le garçon ne se borna pas à souhaiter changer de poste. Sa mère avait quelques connaissances dans le domaine du travail spirituel et, bien qu'il eût jusque-là manifesté peu d'intérêt pour la question, il se souvint de quelques conseils qui pouvaient lui être utiles. Il observa le travail des tourneurs, retenant leur position et leurs gestes; et souvent, lors de la pause, il jetait un coup d'œil aux tours, en examinait le mécanisme, tentait de comprendre leur fonctionnement. *Mais ce n'était pas tout.*

Il continua à apporter le plus grand soin à son travail, mais *à l'occasion de chacune des pauses* (c'était là la partie « secrète » de l'opération) *il fermait un instant les yeux et se voyait en train de travailler à l'un des tours, refaisant avec confiance les gestes qu'il avait vu faire, manœuvrant et coordonnant volants et leviers de la lourde machine-outil. Il voyait des têtes de pistons étincelantes et parfaitement tournées.*

Quelques semaines plus tard, l'occasion rêvée se présenta : on avait besoin de quelqu'un pour remplacer l'un des tourneurs. Notre jeune homme posa sa candidature et fut choisi. Plus tard, le contremaître lui dit :

– En fait, ce qui m'a décidé c'est ton assurance dans le maniement de l'engin. Tu t'en tireras parfaitement et *cela ne me surprend pas*. Je t'ai vu, plus d'une fois, en train d'étudier à fond le maniement des tours !

L'histoire suivante est plus complexe. Une jeune fille souhaitait vivre dans un pays lointain, sans grand espoir de pouvoir un jour réaliser son rêve. Comme cela lui tenait particulièrement à cœur, elle apprit la langue du pays et se lança dans la Visualisation Créatrice, avec la Technique de l'Étoile (cf. chapitre 7). C'est alors qu'on lui proposa de partir en vacances à l'étranger, dans un pays moins lointain que celui dont elle rêvait, mais c'était un début, et elle accepta.

Au cours de ces vacances, elle fit la connaissance de plusieurs personnes, dont elle n'eut plus de nouvelles par la suite. Elle continua cependant à pratiquer la Technique de l'Étoile et l'année suivante, alors qu'elle ne s'y attendait pas, elle reçut une lettre d'une des femmes qu'elle avait rencontrées lors de ces vacances. Cette personne était fortunée et souhaitait voyager dans des pays lointains, mais n'osait pas partir seule. Elle s'était souvenu du goût de la jeune fille pour les voyages et avait décidé de l'inviter...

Elles partirent donc, mais les événements prirent un tour inattendu. Un conflit éclata dans le pays et la femme préféra rentrer chez elle. La jeune fille, elle, resta sur place et travailla pour une organisation humanitaire dans le pays de ses rêves. *Si son souhait avait été exaucé l'année précédente, elle n'aurait pas pu rester !*

L'un des avantages de la visualisation est qu'elle permet de visualiser un grand nombre de choses qui lui sont liées. Il ne s'agit pas uniquement de visualiser le but que vous souhaitez atteindre, mais aussi la façon dont vous comptez y parvenir. Voici, pour commencer, une expérience utile :

Essayez de visualiser, ou tout au moins de vous représenter, un endroit ou un monument qui vous est familier : la mairie de votre ville, ou le Taj Mahal, la tour de Pise, ou même une montagne. Il faut que vous puissiez facilement vous souvenir de sa forme, même si à ce stade vous ne parvenez pas à le « voir » mentalement. (Si vous souhaitez vous rafraîchir la mémoire avant d'essayer, une photo peut vous être utile.) Fermez les yeux et voyez-la aussi clairement que possible; si à ce stade, vous n'y parvenez pas, vous devez cependant réussir à en retrouver les « lignes générales ». Quoi qu'il en soit, réduisez l'objet que vous visualisez à la taille d'une boîte d'allumettes.

Lorsque vous sentirez que l'objet est bien visuellement présent, vous aurez peut-être l'impression que vous l'avez sous les yeux, ou bien qu'il « flotte » quelque part à l'intérieur de votre cerveau. *Les yeux toujours clos*, levez un doigt et *essayez de toucher le milieu de votre image mentale*. Faites comme si vous regardiez l'image dans une petite visionneuse portative, le bout de votre doigt venant en obscurcir le centre.

Vous sentirez votre doigt entrer en contact avec votre front, *probablement au milieu, un peu au-dessus de vos sourcils*.

Répétez l'expérience pour être parfaitement sûr de l'endroit et *pressez fortement le bout*

de votre doigt sur ce point pendant une tren-
taine de secondes, de façon à garder pleinement conscience de sa localisation exacte
quand votre doigt aura quitté votre front.

Vous venez de faire une importante découverte. Lorsque vous pratiquerez la visualisation
selon l'une des diverses méthodes enseignées
dans cet ouvrage, vous verrez qu'il est bien
plus facile de savoir *où vous « placez » l'image.*
Répétez l'expérience de la pression du doigt
de temps à autre – disons deux fois par jour
pendant une semaine, puis une fois par jour
la semaine suivante et ensuite chaque fois que
vous en ressentirez le besoin. *Il ne s'agit pas
là de vous imposer un « exercice » fastidieux
mais d'une pratique facile et sans contrainte
qui vous sera d'une grande aide dans votre
visualisation.*

Observez les autres : quand ils essaient de
se rappeler quelque chose, ou de calculer mentalement, ils portent tout naturellement leur
doigt sur cette région du front.

Certes, la capacité de visualisation n'est pas
la même pour tous. Elle varie selon l'âge. Bon
nombre de ceux qui, dans leur jeunesse, possédaient un don de visualisation intense,
découvrent en vieillissant que cette faculté
s'émousse. Il semble que les femmes, de même
que ceux dont l'activité n'a pas un rapport
direct avec les mots ou les chiffres (chirur-
giens, agriculteurs, chauffeurs de poids lourds,
sportifs, etc.) la conservent mieux que ceux
dont le métier exige une conception plus abstraite de la vie (comptables, programmeurs
d'ordinateurs...).

ENTRE CES DEUX CATÉGORIES S'EN TROUVE UNE AUTRE, QUI PLACE L'INDIVIDU DANS UNE SITUATION PARTICULIÈREMENT DÉLICATE : LES PROFESSIONS POUR LESQUELLES LA VISUALISATION CRÉATRICE EST VITALE, ALORS QUE L'ASPECT THÉORIQUE DE LEURS ACTIVITÉS TEND À LES PRIVER DE CETTE FACULTÉ : avocats, membres du clergé, professeurs, tous ceux dont la vocation est de transmettre un message.

Le but du présent ouvrage est de rendre la Visualisation Créatrice accessible à tous. Il tient compte des besoins spécifiques de chacun, mais le plan général demeure cependant le même pour tous.

Il semble que certains individus soient incapables de visualiser clairement; d'autres sont incapables de maîtriser ce qu'ils visualisent ou même de créer une image mentale. Sans doute, dans certains cas, leurs difficultés sont-elles dues à des problèmes d'ordre physique (troubles endocriniens, par exemple) ou à un type particulier de tempérament; mais le plus souvent, elles sont imputables à de mauvaises *habitudes intellectuelles*, préjudiciables à la personnalité en général. On peut et on doit y remédier.

Les habitudes intellectuelles sont différentes de celles du corps. Elles n'entraînent pas de dépendance. *Elles sont de nature émotionnelle et changent dès que cette nature émotionnelle s'oriente vers une voie différente.*

Et la nature émotionnelle VA s'exercer dans une direction différente dès qu'on lui proposera un nouvel objet de désir. Mais il lui faudra PRÉFÉRER ce nouvel objet. Il ne suffit pas que l'esprit rationnel comprenne pourquoi le nouvel objet est préférable. *La nature émotionnelle doit elle aussi le préférer, le voir comme son bien le plus immédiatement désirable.* Alors, elle balaiera tous les obstacles pour obtenir ce bien.

Cette règle s'applique à tous; *c'est dans la nature même de l'individu.* Cela peut constituer une grande faiblesse (notre esprit rationnel ne peut s'intéresser bien longtemps à ce que rejettent nos émotions) mais également une grande force si nous obligeons notre nature émotionnelle à travailler pour NOUS.

En fait, elle est comme l'enfant qui saisit un couteau parce qu'il brille, sans voir le danger qu'il représente. Que faire dans ce cas ? *Surtout* ne pas tenter de reprendre le couteau par la force, ce qui pourrait provoquer un drame. En général, le mieux est de prendre la main libre de l'enfant et d'offrir à la main qui tient le couteau quelque chose de plus séduisant encore, par exemple un jouet de couleur vive ou une friandise. Si le nouvel objet est bien choisi et bien présenté, l'enfant lâchera le couteau.

Quel que soit notre degré de maturité, il subsiste en chacun de nous une nature émotionnelle tout à fait juvénile ! Couteaux et friandises ne nous intéressent peut-être plus, *mais le même principe s'applique si l'objet est bien choisi.*

Pour parvenir avec succès à la visualisation simple (préliminaire nécessaire à la visualisation créatrice), trois qualités sont indispensables :

RÉSOLUTION
CONCENTRATION
PATIENCE

On se plaint souvent du fait qu'il s'agit là de qualités que l'on perd en vieillissant. Ce n'est pas toujours vrai : on rencontre – hélas ! – des jeunes à qui elles font défaut alors que certains octogénaires n'ont pas ce genre de problème. (En fait, la SOUPLESSE D'ESPRIT est encore la meilleure recette de longévité et de bonheur !)

Bien souvent la baisse des facultés mentales dont on se plaint n'est que le résultat de *notre réticence à faire les efforts nécessaires pour les cultiver, alors que ces efforts sont pour l'enfant un plaisir. L'adulte a généralement le sentiment d'avoir peiné pour apprendre, pour acquérir certaines aptitudes, et il estime être en droit de se reposer sur ses lauriers !*

Mais quand la nature émotionnelle PREND VRAIMENT CONSCIENCE du but profondément gratifiant, inspirant, VIVIFIANT de la nouvelle entreprise, de L'INTÉRÊT VITAL ET DE L'IMMENSE AVANTAGE à trouver ou retrouver ces aptitudes mentales élémentaires, les objections inconscientes, la timidité et l'inertie tombent d'elles-mêmes.

Pensez à *ce que vous souhaitez le plus au monde*. Vous POURREZ L'OBTENIR en apprenant à le visualiser de manière contrôlée et dirigée.

Si vous avez des difficultés à visualiser, en ce moment même, PENSEZ SURTOUT, en plus de la pratique du doigt sur le front, À CE QUE VOUS SOUHAITEZ LE PLUS DANS LA VIE. Peu importe que vous entrevoyiez ou non le moyen d'atteindre vos objectifs. Qu'il s'agisse de biens matériels ou spirituels, PENSEZ-Y : représentez-vous-les au mieux de votre capacité, mais surtout IMAGINEZ QUE VOUS LES POSSÉDEZ, QUE VOUS EN FAITES CE QUI VOUS PLAÎT. Si c'est une voiture que vous désirez, imaginez-vous en train de la conduire; imaginez, aussi clairement que possible, les plaisirs et les avantages de la voiture que vous souhaitez posséder. S'il s'agit d'un homme ou d'une femme, pensez à ce que vous lui diriez, à ce que vous feriez en sa compagnie. S'il s'agit d'argent, pensez à l'usage que vous en ferez.

Il ne s'agit, pour l'instant, que de rêver éveillé, mais ce rêve est orienté vers un but. Vous ÉVEILLEZ votre nature émotionnelle, y compris ses niveaux inconscients, à une PRISE DE CONSCIENCE DE L'INTENSITÉ AVEC LAQUELLE VOUS VOULEZ CES CHOSES – de l'intensité avec laquelle ELLE souhaite ces choses. Mettez, dans ce rêve éveillé, autant de *sensations* et d'*images* que possible – ce sont là des langages que comprennent les niveaux inconscients de votre psychisme. Si, à ce stade, vous ne parvenez pas à visualiser, ALLEZ VOIR L'OBJET RÉEL OU UNE IMAGE QUI LE REPRÉSENTE.

Souvenez-vous de notre homme des cavernes et de notre mystique. On peut, par l'image, parfaitement se représenter tout ce qu'un individu est susceptible de désirer.

Peut-être désirez-vous intensément plusieurs choses qui n'ont apparemment aucun lien entre elles ? Peu importe; si vous les désirez toutes avec la même intensité, traitez-les de la même façon; CE N'EST PAS LE MOMENT DE RATIONALISER VOS DÉSIRS OU DE LES INCLURE DANS UN SCHÉMA. L'important, ici, ce sont vos émotions, vos sentiments et non votre raison.

Quand vous aurez pratiqué cette méthode pendant un certain temps, vous aurez le sentiment que vous souhaitez VÉRITABLEMENT vous mettre à l'œuvre. Avant tout, vous voudrez utiliser vos pouvoirs de visualisation de façon créatrice.

Parfait ! Mais ne renoncez pas pour autant au rêve éveillé. Les niveaux « inconscients » de votre esprit vous sont encore étrangers et peut-être reste-t-il encore un peu de poussière à balayer dans les coins. Ne vous en inquiétez pas – bornez-vous à donner de temps en temps un coup de balai ! En d'autres termes, revivez vos rêves éveillés.

Vous êtes maintenant prêt à visualiser. Commencez par une figure géométrique simple, un cercle ou un triangle par exemple; mais choisissez une seule forme et *persévérez* jusqu'à ce que vous ayez réussi.

RÉSOLUTION, CONCENTRATION, PATIENCE !

Si vous êtes distrait, ou si vous voyez une image différente, ne vous découragez pas; revenez à votre image et repartez de zéro. Il existe plusieurs moyens susceptibles de vous aider. Faites cet exercice dans un endroit sombre. Laissez aux images parasites le temps de se dissiper. Fermez les yeux, sans forcer, sans plisser les paupières; touchez le « point de visualisation » sur votre front; ensuite, si vous le souhaitez, vous pouvez poser *doucement* vos mains sur vos yeux, sans appuyer.

Quand vous aurez réussi avec cette première figure géométrique, *ne la perdez pas*; ne la laissez pas se transformer tant que vous ne l'aurez pas décidé vous-même ! Puis choisissez l'image suivante et passez-y rapidement – du cercle au triangle, par exemple, ou du triangle à l'étoile. Si vous souhaitez une forme plus complexe, pensez aux images classiques de perception extra-sensorielle ou aux signes du zodiaque.

Si, même en fermant les yeux, vous éprouvez des difficultés, essayez ces autres méthodes. La première consiste à choisir une surface noire de trente centimètres sur trente et d'essayer d'y voir, en blanc, la forme visualisée, comme dessinée à la craie. Bien entendu, dans ce cas vous gardez les yeux ouverts. Une autre méthode consiste à regarder une scène banale en plein jour – ce que vous voyez de votre fenêtre, ou même une pièce pleine de meubles – et à « voir » soudain votre étoile, votre triangle ou votre cercle sur ce fond. Une telle image ne dure souvent que l'espace d'un éclair mais elle vous fait prendre conscience de la véritable « intériorité » de la visualisation. Dès que vous y serez parvenu, vous devriez être capable de recommencer en posant les mains sur vos yeux ou en regardant votre surface noire.

LA VISUALISATION SE FAIT AVEC L'ESPRIT, NON AVEC LES YEUX.

Souvenez-vous que votre « point de visualisation » se situe *entre* vos yeux et *au-dessus*. La visualisation, comme toute autre faculté, implique un talent que l'on acquiert par la pratique mais qu'il n'est pas facile de définir par des mots. Lors de vos exercices, n'oubliez pas que l'image que vous visualisez *est là parce que vous l'y avez mise;* elle n'apparaît pas spontanément, comme un fantôme. Vos essais seront d'autant plus efficaces que vous vous souviendrez que vous faites appel à votre esprit et non à votre vue. Par la suite, vous visualiserez tout naturellement, comme si vous utilisiez vos yeux.

D'autres conseils vont vous être donnés dans le prochain chapitre. Ils sont destinés non seulement à vous aider au cours de votre apprentissage, mais également à rendre TOUTES vos expériences de visualisation plus agréables, et donc *plus efficaces*.

Contrôle

1

— Commencez par trouver le point situé au milieu du front, où doit se former votre image visualisée.

— Pratiquez la mémorisation et la visualisation de formes simples, les yeux clos, ou sur un fond noir ou, brièvement, sur un fond normalement éclairé, dans une pièce ou à l'extérieur.

— Trois qualités sont nécessaires à une bonne Visualisation Créatrice : la résolution, la concentration, la patience.

— Renforcez votre motivation en maintenant vos désirs à un haut niveau émotionnel et en revivant de temps à autre vos rêves éveillés.

POINTS D'ÉTUDE

2

La TENSION est l'ennemi de la Visualisation Créatrice.

1. Puisque nous sommes des êtres humains, nous devons apprendre à nous relaxer *volontairement*, car :

a) Notre nature instinctive ne fonctionne que partiellement.
b) Nos impulsions et nos réactions naturelles sont inhibées.
Il en résulte des tensions provoquées par les émotions que nous réprimons.

2. La tension est le prélude à une action réfléchie, mais lorsque cette action est retardée ou inhibée, les tensions s'accumulent et risquent de n'être que partiellement libérées. Elles monopolisent alors l'énergie nécessaire à toute activité mentale.

3. Un programme de relaxation physique doit se traduire par :

        la plénitude
        la vigueur
        la santé
indispensables à une véritable harmonie du corps et du psychisme et à un bien-être total.

4. La Relaxation Créatrice entraîne des bienfaits pour toutes les parties du corps, un relâchement des tensions et une libération de l'énergie. La Respiration Rythmique stimule et canalise l'énergie. Elle doit devenir une seconde nature.

Le cercle vertueux

2

Nous avons vu à quel point il est important de mobiliser nos émotions afin de déclencher la motivation et la détermination nécessaires à la Visualisation Créatrice.

La *concentration* est indispensable à la Visualisation Créatrice, or la tension physique et nerveuse est l'un des principaux ennemis de la concentration.

Il convient donc de s'assurer, tout en conservant la motivation émotionnelle souhaitée, que l'énergie ainsi libérée n'est pas gaspillée ou transformée en tension musculaire ou nerveuse.

Comment naissent ces tensions ?

Dans la nature, l'action suit immédiatement la motivation. Le cerf flaire une odeur, en reconnaît la nature et la proximité et file aussitôt. L'aigle, dans son vol, remarque un imperceptible mouvement au-dessous de lui et aussitôt change le rythme de ses battements d'aile; la proie est localisée et le rapace plonge pour s'en saisir. Tout retard dans l'action génère la *tension* : la tension du chat guettant une souris, la tension du lapin qui, dans un fourré, attend l'instant propice pour disparaître dans son terrier.

Les animaux, en temps normal, ne subissent aucune tension. Le chat qui guette sa proie, par exemple, n'est pas le même animal que celui qui se chauffe paresseusement au soleil sur le rebord d'une fenêtre. Le poisson, même s'il ne peut fermer les yeux, se repose paisiblement dans les profondeurs des eaux où il est né; les nageoires en position optimale, il pourra instantanément filer en avant ou battre en retraite pour trouver nourriture ou sécurité.

L'homme n'est pas fondamentalement différent des animaux. *La tension est le prélude naturel à une action réfléchie*, et elle cesse une fois l'action accomplie; si l'action n'intervient pas immédiatement, la tension s'estompe ou se prolonge. Nous savons que, dans de nombreux sports, vivacité et vigilance ne sont pas synonymes de tension alors que le doute, la peur, le trac, ou encore (tout comme pour le chat à l'affût) la nécessité de différer l'action pour plus d'efficacité – tout cela est générateur de tension.

Dans certains sports, comme la boxe ou l'escrime, il est essentiel de prévoir à quel instant l'adversaire va se livrer à une attaque surprise : en d'autres termes, à quel moment il prépare une action qui doit être différée pour être efficace. Que cherche-t-on dans ce cas ? Un signe de tension ! Et où le trouvet-on ? Là où se manifeste toute forme de stress, dans le tissu musculaire qui entoure les yeux.

Le corps exécute – ou tente d'exécuter – si rapidement ce que projette l'esprit que même ces muscles minuscules vont se contracter, réflexe naturel mais qui peut nuire à l'intéressé car il trahit le fait qu'il se prépare à agir. Aussi l'athlète va-t-il rapidement apprendre à conserver un visage « de marbre » qui ne révélera rien de ses intentions. *C'est possible.* On peut conserver un visage impassible même dans les compétitions les plus éprouvantes. C'est également vrai pour le joueur de cartes, ou pour la ballerine qui exécute les pas de danse les plus difficiles sans le moindre effort apparent.

Quoi qu'il se passe dans l'esprit, *il est possible de conserver une parfaite relaxation musculaire si l'on est suffisamment déterminé.* Si l'on peut y parvenir avec le visage, qui, plus que toute autre partie du corps, réagit aux stimuli émotionnels (sourire, froncement de sourcils, rire, regard, etc.), on peut aussi maîtriser ses bras, ses jambes, ses pieds, ses mains...

Il y a deux raisons pour lesquelles l'homme, à la différence des autres créatures vivantes, a besoin de se relaxer volontairement : Tout d'abord parce que ses facultés de raisonnement se sont développées au détriment de sa nature instinctuelle qui ne s'exprime plus que partiellement.

D'autre part, la société moderne et l'accroissement de la population, en nous contraignant à vivre dans un environnement totalement artificiel, nous empêchent de laisser libre cours à nos élans naturels. Il n'est pas admis, par exemple, de manifester colère ou ressentiment à l'égard de sa famille, et il est vivement conseillé de se montrer poli envers ses collègues ou son patron; quand on ressent le besoin de s'isoler, on n'a généralement aucun endroit où se réfugier. On peut à la rigueur manifester publiquement sa joie ou son chagrin, à condition de respecter des règles bien établies. Tout cela entraîne un sentiment de frustration, des élans refoulés, dont nous sommes à peine conscients et qui n'ont pas l'occasion de se manifester dans l'action. C'est ainsi que s'accumulent des tensions qui ne trouvent pas d'exutoire.

Ceci tend à créer un « cercle vicieux » car l'accumulation des tensions est nocive pour

LA RÉSOLUTION

LA CONCENTRATION

LA PATIENCE,

qualités qui permettent à l'individu de s'accomplir.

Le premier impératif est donc d'apprendre à introduire la relaxation dans sa vie quotidienne afin de pratiquer avec succès la Visualisation Créatrice.

Ce manuel pratique ne se borne pas à vous indiquer des techniques et des exercices, mais vous propose également un *Mode de Vie* enseigné par les Sages de tous les temps et de toutes les cultures, et destiné à tous ceux qui cherchent à développer leurs facultés intérieures et à enrichir leur vie.

C'est ainsi que la pratique de la relaxation, que nous allons aborder, est des plus précieuses pour parvenir à la Visualisation Créatrice. Le programme de relaxation permet d'atteindre la PLÉNITUDE, la VIGUEUR, la SANTÉ et la véritable harmonie du corps et de l'esprit dans l'unité de l'individu, base essentielle du bien-être personnel à tous les niveaux.

– Tu t'écoutes trop ! dit-on à ceux qui se plaignent sans cesse d'avoir mal quelque part.

Il faudrait plutôt leur dire : « Tu t'écoutes trop DE FAÇON NÉGATIVE ! » Un yogi célèbre, à qui l'on demandait le secret de sa santé florissante et de son éternelle jeunesse, répondit :

– JE CONTEMPLE TOUR À TOUR CHACUNE DES PARTIES DE MON CORPS ET JE LUI SOUHAITE DE BIEN SE PORTER.

C'est ce que vous allez faire. De façon CRÉATRICE.

Le programme de relaxation créatrice

Votre corps est plus qu'un ami, c'est un groupe d'amis. Certains ont leurs particularités ou leurs petites manies, mais on les aime autant que les autres. Ils font beaucoup pour nous, et nous oublions parfois de les en remercier. Vous allez maintenant apprendre à mieux connaître tous ces amis, c'est-à-dire votre propre corps.

Portez des vêtements amples, ou rien du tout. Mettez-vous pieds nus.

Allongez-vous sur le dos, bien à plat, rentrez légèrement le menton. Si cela vous aide, glissez sous votre nuque un coussin ou un oreiller pas trop épais. Vos bras doivent être étendus, souples, à peu près parallèles au corps. Voyez ce qui se passe quand vous relâchez vos chevilles : vos pieds ont tendance à s'écarter vers l'extérieur ? Prenez deux objets sur lesquels reposeront vos pieds, et décontractez-vous.

Respirez plusieurs fois, lentement et à fond. Cela vous aidera à trouver la position parfaite. Si possible, pendant toute la durée de cet exercice, respirez lentement, régulièrement, et par le nez.

Vous allez maintenant vous occuper de votre pied droit. Avez-vous lu *Un Yankee du Connecticut à la Cour du Roi Arthur,* de Mark Twain ? On y trouve, à un moment, deux amoureux que l'on a enfermés pendant des années dans un donjon, sans qu'ils puissent communiquer entre eux ni avec le monde extérieur. Le « Yankee » insiste pour qu'on les libère et, bien entendu, on s'attend à les voir se jeter dans les bras l'un de l'autre. Mais il ne se produit rien de tel. Ils ne se reconnaissent même pas, ayant manifestement perdu toute faculté de communiquer. Certes, l'épisode est mélodramatique, mais témoigne parfaitement de la sensibilité et de l'originalité de Mark Twain qui, à une époque où la psychologie n'était pas encore une science, avait compris que l'isolement, la privation de tout moyen de communiquer ne peuvent que provoquer l'apathie, une diminution des réflexes et une perte totale de la faculté de communiquer ou de réagir à une situation nouvelle.

Mais qui, à notre époque, pourrait se montrer à ce point indifférent à l'égard du sort des détenus ? *Bien des gens, en fait – lorsque ce sont leurs pieds et leurs orteils qui sont en prison !*

Même en vacances, alors que vous pouvez marcher pieds nus ou en sandales, accordez-vous la moindre attention à vos pieds ? Si, effectivement, vous remarquez ces pauvres « délaissés », si vous communiquez avec eux de façon amicale et respectez leurs besoins, bravo ! Vous allez trouver relativement facile la première phase de cet exercice de relaxation. Mais si vous les avez maltraités pendant des années, peut-être ne pourront-ils pas réagir de façon perceptible à la nouvelle amitié que vous allez leur témoigner. *Raison de plus pour persévérer !*

Remuez les orteils de votre pied droit; voyez combien ils sont capables de bouger séparément. Efforcez-vous de les faire réagir à votre message, ce qui pourra exiger de votre part une certaine concentration. Inutile de dépenser toute votre énergie ni d'y consacrer trop de temps, mais si les résultats ne sont pas entièrement satisfaisants, accordez quelques minutes d'attention à vos orteils plusieurs fois par jour. Relaxez vos orteils, c'est un exercice excellent pour votre développement personnel !

Ensuite, le talon toujours au sol, « redressez » votre pied droit (il s'agit, en fait, de le fléchir vers votre tête) de telle sorte que vous sentiez s'étirer les muscles du mollet et se contracter ceux du devant de la jambe. Répétez le mouvement plusieurs fois en « encourageant » les muscles, tendons et nerfs qui effectuent le travail. « Serrez » les orteils sans plier le genou, puis relaxez-les. Répétez le mouvement plusieurs fois. Décontractez-vous.

Décollez maintenant le talon du sol et, toujours sans fléchir le genou droit, tentez d'élever la jambe droite aussi près que possible de la verticale, *sans plier non plus le genou gauche !* La jambe droite ainsi levée, faites effectuer à votre pied un mouvement de rotation autour de la cheville, environ six fois dans un sens puis six fois dans l'autre. Vous sentez vos muscles qui réagissent, vos articulations qui se dénouent. Écoutez-les, encouragez-les ! Baissez lentement la jambe, détendez-vous, puis relevez-la, répétez les mouvements de rotation de la cheville, ramenez lentement la jambe au sol. *Et ne pliez pas le genou gauche !*

Relaxez complètement la jambe droite : orteils, pied, cheville, mollet, genou, cuisse, fesse. Pensez à votre jambe droite avec bienveillance. Souhaitez-lui d'être saine et forte !

Répétez l'exercice avec la jambe gauche (orteils, pied, etc.). Quand vous aurez terminé, envoyez des messages d'amitié et de bienveillance à vos *deux* jambes et assurez-vous qu'elles sont parfaitement décontractées.

Passons maintenant à la région abdominale. S'il est à peu près sûr que chacune des parties du corps réagit aux pensées positives et bienveillantes qu'on lui adresse, la réponse de certaines d'entre elles pourrait être qualifiée de *consciente*; c'est notamment le cas des organes internes de l'abdomen et du thorax. On sait que seuls les muscles striés des membres et du tronc (on en compte plus de 600 !) peuvent être contractés volontairement. En revanche, les muscles lisses des organes internes, dont les contractions sont indépendantes de la volonté et sont contrôlées par le système neuro-végétatif, réagissent aux messages émotionnels qu'on leur adresse lors d'un exercice de relaxation.

Aussi, pendant que vous faites travailler et relaxez les muscles externes de l'abdomen, ayez une pensée particulière pour chacun des organes internes : foie, vésicule biliaire, estomac, rate, intestins, reins, vessie et appareil génital. Essayez de n'en oublier aucun !

NOUS NE POUVONS VRAIMENT BIEN CONNAÎTRE QUE CE QUE NOUS AIMONS. NOUS NE POUVONS VRAIMENT BIEN AIMER QUE CE QUE NOUS CONNAISSONS.

Ainsi aurez-vous peut-être le sentiment que vous réussiriez mieux cette partie de l'exercice si vous connaissiez davantage vos organes et le travail qu'ils accomplissent pour vous, et si vous pouviez les localiser avec précision. Dans ce cas, un bon ouvrage de vulgarisation ou un livre de médecine vous sera d'une aide précieuse : mieux encore, assistez si possible à une série de cours de secourisme. Les connaissances que vous en retirerez seront en outre profitables aux autres.

Les muscles abdominaux peuvent se diviser en deux groupes, situés au-dessus et au-dessous du nombril. Vous avez déjà un peu exercé les muscles du bas-ventre en levant et baissant les jambes. Vous pouvez maintenant répéter ces exercices *en pensant cette fois aux muscles abdominaux sollicités plutôt qu'aux jambes.* Puis relaxez-vous. Fléchissez les muscles de la région lombaire, relaxez-vous; répétez le mouvement deux ou trois fois.

Maintenant, inspirez profondément – plus à fond qu'au cours de cet exercice, en accumulant l'air dans la partie inférieure des poumons pour obtenir une dilatation de la partie supérieure de l'abdomen. (Pour les femmes, cela exigera peut-être un peu plus de pratique car les côtes sont plus souples que chez l'homme et l'air s'accumule plus naturellement dans la poitrine. Mais cette pratique est excellente car elle vous permet de remplir totalement la partie inférieure des poumons.) Bloquez alors votre respiration tout en *contractant* les muscles supérieurs de l'abdomen pour refouler l'air dans la cage thoracique et étirer les côtes. Soufflez, maintenant. Inutile de bloquer la respiration trop longtemps; le but essentiel est de donner aux abdominaux quelque chose sur quoi pousser tandis qu'on les contracte. Aucun de ces mouvements ne doit être accompli de façon violente ou saccadée.

Recommencez plusieurs fois. Relâchez les muscles supérieurs de l'abdomen, tout en veillant à ne pas contracter le bas-ventre ni les jambes.

Passons maintenant au thorax. Là, outre les muscles que vous allez faire intervenir, il convient d'axer vos pensées sur le cœur et les poumons. Il faut profondément et intimement ressentir ces organes vitaux (en évitant cependant toute anxiété), ce qui vous permettra de comprendre le travail de tous les instants qu'ils accomplissent pour vous. *Soyez inspiré* par le Souffle de Vie; soyez confiant, optimiste, résolu. *Haut les cœurs !*

Respirez lentement et profondément; mais cette fois, au lieu de gonfler davantage la poitrine avec l'air déjà inhalé, *obligez vos poumons à en absorber encore un peu* alors qu'ils semblent déjà saturés. Vous devez sentir passer cet apport supplémentaire. Expirez alors lentement, aussi complètement que possible. Après quoi, par une contraction de la région du diaphragme (sous la cage thoracique) *chassez encore un peu d'air* pour vider complètement vos poumons. Respirez maintenant normalement, en laissant se relaxer les muscles de la poitrine. Répétez trois fois cet exercice.

Fléchissez les pectoraux (en appuyant les coudes sur les côtés), relaxez-vous. Rapprochez vos omoplates, relaxez-vous. Contractez les muscles du cou, relaxez-vous. Répétez plusieurs fois les mouvements des pectoraux, des épaules, du cou; relaxez-vous. Soyez attentif aux battements de votre cœur, au rythme de votre respiration.

Souhaitez force et santé à votre corps et à tous ses organes vitaux !

Levez l'avant-bras droit, de manière à voir votre main droite sans effort; gardez le coude au sol. Redressez la main droite, doigts tendus, puis pliez-les l'un après l'autre. Tout comme vous l'avez fait avec vos orteils, essayez de mouvoir chaque doigt séparément, y compris le pouce. Rabattez le pouce sur votre paume, aussi loin que possible; touchez la base du petit doigt si vous le pouvez. Relaxez-vous. Étendez la main.

Pliez maintenant le poignet en avant, le plus loin possible, puis vers l'arrière, tout en conservant les doigts étendus. Répétez le mouvement plusieurs fois, en prenant conscience chaque fois de l'étirement et de la contraction des muscles du bras. Faites effectuer à votre main un mouvement de rotation autour du poignet, avec souplesse, dans un sens puis dans l'autre. Prenez conscience des divers éléments – os, muscles, tendons, nerfs – qui participent à ce mouvement; relaxez-vous. Pensez aux diverses capacités de votre main, à tout ce qu'elle vous permet de faire. (Même si vous êtes gaucher. En fait, nous devrions tous apprendre à utiliser nos deux mains. Imaginez que vous soyez droitier et qu'une entorse immobilise votre main droite, et songez à tous les gestes quotidiens que vous seriez incapable d'accomplir ! Cependant, soyez toujours reconnaissant envers vos deux mains, la droite comme la gauche.)

Décollez le bras droit du sol, levez-le à la verticale de telle sorte qu'il forme un angle droit avec le coude; serrez le poing (le pouce à l'extérieur) aussi fort que possible, ramenez le poing serré vers le poignet, contractez le biceps. Relaxez-vous; répétez le mouvement plusieurs fois en sentant le triceps s'étirer alors que le biceps se contracte; relaxez-vous, desserrez la main, reposez le bras. Même mouvement avec le bras et la main gauches.

Vérifiez maintenant que tous les muscles déjà sollicités sont bien relaxés : pieds, jambes, cuisses, abdomen, dos, poitrine, épaule, cou, doigts, mains, avant-bras, bras.

Contractez la mâchoire, fermez les yeux en serrant les paupières puis relaxez-vous doucement. Pensez aux merveilleux organes que sont vos yeux, votre nez, vos oreilles, votre bouche; quels merveilleux moyens d'expression constituent vos cordes vocales, votre langue, vos lèvres. Imaginez combien d'entre eux sont sollicités quand vous souriez. Souriez, en commençant par les muscles délicats qui entourent les yeux. Vous vous sentez paisible et heureux, votre bouche suit l'exemple et vos lèvres s'écartent enfin dans un sourire de joie pure. Pourquoi pas ? C'est un autre grand secret que nous enseignent les mystiques de l'Orient et de l'Occident.

DÉTACHEZ-VOUS, NE SERAIT-CE QU'UN INSTANT, DES SOUCIS, INQUIÉTUDES, CRAINTES, DOULEURS OU REGRETS QUI VOUS ACCABLENT, ET VOUS DÉCOUVRIREZ QUE VOTRE ÊTRE EST PURE JOIE !

C'est ainsi que la relaxation vous enseigne la détermination, la concentration, la patience.

À la fin de cet exercice, RELAXEZ-VOUS totalement, les yeux clos, le visage détendu, le corps et les membres lourds. Restez ainsi quelques instants, respirez doucement, écoutez votre cœur battre avant de reprendre vos activités. Pensez avec bienveillance à votre cerveau et à votre système nerveux, à vos cinq sens – vue, ouïe, odorat, goût et toucher. Pensez-y avec bienveillance et souhaitez-leur force et bonheur à tous !

Vous pouvez personnaliser ce programme de relaxation créatrice en y ajoutant quelque chose qui satisfasse un besoin ou intérêt particulier; ce qui est parfaitement souhaitable *sous réserve de ne pas le dissocier de l'harmonie de l'ensemble.* Cette relaxation, pratiquée simplement et sérieusement, vous aidera à parvenir à la Visualisation Créatrice en développant vos capacités de

RÉSOLUTION

CONCENTRATION

PATIENCE...

Imaginez le merveilleux effet de la Visualisation Créatrice sur votre programme de Relaxation Créatrice ! En prenant conscience de chacune des parties de votre corps et en les visualisant RAYONNANTES DE SANTÉ, vous transformerez un cercle vicieux en « cercle vertueux » et votre « mal de vivre » en bien-être.

La Respiration Rythmique est une technique simple à acquérir. Il s'agit pour vous d'apprendre à la pratiquer À VOLONTÉ, sans pour autant être obligé de vous concentrer pour y parvenir. C'est une simple question d'entraînement. Lorsque nous devons fournir un intense effort intellectuel, nous avons tous tendance à « retenir notre souffle ». C'est un réflexe naturel mais néfaste, contre lequel il faut savoir lutter. Le cerveau a besoin d'oxygène, comme les muscles. La Respiration Rythmique, en créant un rythme *naturel à l'individu*, permet de résoudre ce problème. Qu'il s'agisse de la pensée ou de l'action, elle contribue à une harmonie personnelle, naturelle et EFFICACE.

Mais pour l'instant, il importe avant tout de prendre conscience de votre rythme cardiaque. Commencez donc par prendre votre pouls, comptez les battements de votre cœur.

Emplissez maintenant vos poumons d'air, jusqu'à saturation. Puis retenez votre respiration pendant *trois* battements de cœur.

Expirez de façon régulière et contrôlée pendant *six* battements.

Cessez de respirer pendant *trois* battements.

Respirez régulièrement pendant *six* battements.

Répétez l'exercice plusieurs fois, lentement et régulièrement, pour bien en sentir les effets.

Vous constaterez peut-être que prendre l'habitude de ce rythme n'est qu'une question de pratique, ou peut-être aurez-vous la conviction que ce rythme particulier ne vous convient pas. Peut-être constaterez-vous, par exemple, qu'il vous faut davantage de temps pour emplir ou vider vos poumons. Ou peut-être découvrirez-vous que vous êtes incapable de retenir votre respiration aussi longtemps. Ne vous inquiétez pas : *c'est justement là le but de cette première expérience !*

Ce que vous devez apprendre, c'est un mode de respiration dans lequel vous pourrez, sans gêne, conserver l'air dans vos poumons pendant un certain nombre de pulsations cardiaques, puis l'expulser deux fois plus lentement, jusqu'à ce que vos poumons soient complètement vides. Ensuite, INSPIREZ pour bien emplir vos poumons. Au bout d'un certain temps, vous constaterez que l'un des rythmes suivants vous convient. (Les chiffres du tableau correspondent au nombre de battements de cœur).

Gonflez vos poumons	Expirez	Ne respirez plus	Inspirez
2	4	2	4
3	6	3	6
4	8	4	8

Peu importe le rythme que vous adopterez : choisissez celui qui vous convient le mieux. Avec la pratique, votre capacité augmentera : par exemple, après avoir adopté le rythme

2-4-2-4, vous remarquerez que vous pouvez passer au rythme 3-6-3-6. C'est parfait. Mais *vous devez conserver ce rythme de respiration*; tant que vous ne parviendrez pas, sans aucune gêne, à conserver vos poumons VIDES et PLEINS pendant trois battements de cœur, vous ne devez pas augmenter le temps d'inspiration ou d'expiration. Attendez encore une semaine et vous constaterez sans doute que vous pouvez passer sans gêne au rythme 3-6-3-6.

Essayez donc, mais en vous en tenant toujours au rythme indiqué. Il est inhabituel mais pas du tout anormal d'avoir un rythme de 1-2-1-2 ou de 5-10-5-10. Mais dans tous les cas, le temps d'inspiration et d'expiration doit être le double de celui pendant lequel vous retenez votre respiration. Et *comptez toujours selon votre propre rythme cardiaque!* Ne tenez aucun compte du tic-tac de votre réveil-matin!

Les principes de la Respiration Rythmique sont utilisés dans le monde entier, de différentes manières et dans différents buts. Vous en retirerez les plus grands bienfaits, vous pourrez la pratiquer toute votre vie, lors de vos exercices de relaxation et de Visualisation Créatrice, avant de vous endormir, ou pour vous préparer à l'effort physique ou intellectuel. Utilisez-la pour vous soutenir et pour canaliser votre énergie.

PRATIQUEZ LA RESPIRATION RYTHMIQUE
JUSQU'À CE QU'ELLE DEVIENNE UNE HABITUDE
ET FAITES-EN UNE ALLIÉE POUR LA VIE!

Contrôle

2

– Respectez votre programme de Relaxation Créatrice jusqu'à ce que vous le maîtrisiez parfaitement. Après quoi, continuez à le pratiquer chaque jour si vous en éprouvez le besoin, ou simplement parce que vous y prenez plaisir. Si vous ne pouvez le faire quotidiennement, essayez de vous exercer au moins trois fois par semaine.

– Si vous sentez que cela peut vous aider, documentez-vous sur les différentes fonctions des organes humains.

– Continuez à pratiquer la Visualisation simple (cf. chapitre précédent) si vous en ressentez le besoin, mais allez de l'avant et intéressez-vous aux autres techniques expliquées dans cet ouvrage. Vous constaterez qu'il vous reste encore beaucoup à faire avant de maîtriser parfaitement la visualisation, mais votre motivation va croître avec les progrès réalisés et vous vous apercevrez vite que *la visualisation est d'une importance vitale*.

– Pratiquez la Respiration Rythmique chaque fois que vous le pouvez, mais surtout lorsque vous faites de la Visualisation, de la Relaxation Créatrices ou tout autre exercice visant à l'épanouissement de votre personnalité.

POINTS D'ÉTUDE

3

La Respiration Rythmique donne FORCE ET FORME à ce que vous faites.

Nous faisons partie intégrante de l'univers, et la seule chose qui nous empêche de profiter de ses bienfaits, c'est le sentiment de frustration que nous sommes nombreux à ressentir. En « reprogrammant » notre inconscient, nous supprimons cette inhibition.

En cherchant à développer vos facultés intérieures, vous entrez en contact avec les niveaux INCONSCIENTS de votre psychisme.

a. Les niveaux inconscients sont des niveaux *irresponsables*.

b. C'est grâce à votre esprit rationnel que vous pourrez contrôler ces niveaux.

c. Associez la JOIE aux objets que vous désirez, aux buts que vous poursuivez, et CHANTEZ-LES ! Le chant est instinct, le chant est émotion, il rejoint l'inconscient.

L'avenir est à vous

3

Peut-être vous demandez-vous comment pratiquer la Respiration Rythmique l'esprit DÉTACHÉ. Ne vous inquiétez pas ! Si vous avez confiance en cette technique, le jour où vous devrez vous concentrer sur un projet, vous réaliserez que *vous êtes passé à la Respiration Rythmique sans y penser et que voilà une demi-heure que vous respirez ainsi !*

Toutefois, vous devez dès maintenant l'inclure dans vos exercices de visualisation, qu'il s'agisse d'expériences simples de visualisation ou de véritable *Visualisation Créatrice*. Vous découvrirez que le maintien de ce rythme de base vous aidera à donner forme et force à ce que vous faites.

Quels instants allez-vous réserver à votre Visualisation Créatrice ? Organisez-vous dès maintenant. Le meilleur moment est tôt le matin; si vous pouvez l'adopter, c'est un excellent départ pour la journée, c'est faire de votre première activité un pas vers vos véritables objectifs ! Il est également conseillé d'en faire la dernière activité de la journée, car votre inconscient (le niveau que vous souhaitez vraiment mobiliser) poursuivra, pendant votre sommeil, l'activité créatrice commencée la veille. Enfin, vous pouvez aussi vous exercer à l'heure du déjeuner, à condition que ce ne soit pas l'unique séance de la journée.

Tâchez d'y consacrer deux, voire trois séances par jour, mais l'important est de vous exercer RÉGULIÈREMENT.

Dans tous les cas, si vous avez l'intention de pratiquer cette activité en position assise, choisissez un siège dur, soyez détendu mais le dos bien droit (il s'agit surtout d'une question d'équilibre), et posez vos pieds à plat l'un à côté de l'autre. Laissez reposer la paume de vos mains sur les cuisses, sauf quand vous souhaiterez faire un mouvement particulier avec les mains (ce qui se produit souvent au cours de la visualisation). Si vous souhaitez pratiquer la Relaxation *et* la Visualisation Créatrices avant de vous coucher, commencez par les exercices de relaxation, puis mettez-vous au lit pour votre séance de visualisation.

Pour la visualisation en position couchée, étendez-vous sur le dos, bien à plat. Si vous ne pouvez vous passer d'oreiller, il doit être le moins épais possible. La raison en est simple : le cerveau est un organe « gourmand » qui, pour fonctionner correctement, notamment lors d'activités auxquelles il n'est pas habitué, a besoin d'une bonne irrigation sanguine. Nous contribuons énormément à le « serrer » en restant debout toute la journée, alors que nos ancêtres passaient une bonne partie de leur temps de repos allongés; nous devons donc compenser cela en permettant à notre cerveau d'être correctement irrigué quand nous dormons.

Il faut également disposer, au cours de la nuit, *d'un bon apport d'oxygène*. Et si votre chambre est trop éclairée – par la lune, les phares des voitures, des enseignes lumineuses –, procurez-vous ou fabriquez-vous un masque oculaire. Cet objet, très utile, ressemble en fait à un « loup » de carnaval, mais sans orifices pour les yeux; peu encombrant, léger, il est maintenu par un élastique passé derrière la tête. Cet écran présente également l'avantage de ne pas être trop étrange ou surprenant pour votre conjoint !

Ainsi, confortablement allongé, dans l'obscurité d'une pièce bien aérée, ou assis le matin ou à midi, à l'aise et dans une bonne position, vous allez pouvoir commencer la respiration rythmique. Respirez au moins une dizaine de fois (plus si vous le souhaitez) avant de passer à la visualisation, qu'il s'agisse d'exercices de visualisation simple ou d'un travail créateur.

Continuez la respiration rythmique tout en vous livrant à la visualisation. Vous apprendrez bientôt à combiner les deux activités. Par exemple, si vous vous livrez à la visualisation simple, vous pouvez, tout en INSPIRANT, vérifier mentalement les caractéristiques de la forme que vous souhaitez visualiser (s'il s'agit d'un triangle, les trois côtés sont-ils égaux ? Comment sont les angles ? Où est placé le sommet ? S'il s'agit d'une étoile, combien de pointes comporte-t-elle ? Y en a-t-il une au sommet, etc.) Ensuite, bloquez votre respiration et laissez tout cela « germer »; puis, en EXPIRANT, visualisez l'objet. Lors de l'inspiration suivante, laissez-le s'estomper; attendez, puis essayez de nouveau. Au cours de la première étape de la Visualisation Créatrice, vous devez visualiser votre image (par exemple une maison) en INSPIRANT; conservez cette image en retenant votre respiration; ensuite, SOUFFLEZ tout en vous répétant mentalement : « c'est *ma* maison, *ma* maison ! » Peut-être d'autres mots vous viendront-ils à l'esprit, mais surtout, veillez à ce que vos *paroles* ne dépassent pas vos *intentions* !

C'est un danger qui menace tous ceux qui tentent de développer leurs facultés intérieures et qui peut faire obstacle à leurs projets, car ce que l'on DIT se réalise plus facilement que ce que l'on avait l'INTENTION de dire. (Un homme, par exemple, répétait sans cesse « Je veux une nouvelle maison ! », ajoutant mentalement « pour pouvoir me marier »; et soudain, il s'est surpris à répéter : « Je veux une nouvelle petite amie ! »)

Comment expliquer ce phénomène ?

Nous ne savons pas exprimer nos désirs. Et c'est précisément ce que nous exprimons qui se réalise. Lorsque nous cherchons à développer nos facultés intérieures, nous entrons en contact, normalement, avec les niveaux inconscients de notre psychisme. Or *l'inconscient est irresponsable.*

L'enfant, chez qui la faculté de raisonnement

n'est pas encore développée, l'individu atteint d'une maladie mentale, ou le somnambule, ne peuvent être tenus pour responsables de leurs actes car ils sont guidés par les niveaux inconscients du psychisme.

Mais les niveaux inconscients sont également ceux qui permettent d'obtenir ce que l'on désire. Observez les animaux : ils sont parfaitement adaptés à leur environnement, et il ne s'agit pas d'un choix délibéré. Le cerf est doté d'orifices situés près des yeux, et qui augmentent sa capacité respiratoire quand la fuite est sa seule chance de survie. Les jeunes de nombreuses espèces animales sont mouchetés ou rayés alors que les adultes ont une robe ou un plumage uni; car les jeunes ont besoin d'un camouflage supplémentaire afin de se confondre avec le repaire ou le nid. Un poisson plat, à la naissance, nage comme les autres, mais une fois adulte, il vit à plat au fond de l'eau. L'un de ses yeux passe alors sur le dessus de la tête, de sorte que ses deux yeux se retrouvent sur la face supérieure de la tête. On pourrait citer d'innombrables exemples de mimétisme ou d'adaptation au milieu environnant : les yeux du chat, les sabots du cheval, la couleur feuille morte et la forme des ailes repliées du papillon...

De toute évidence, ce phénomène mérite qu'on s'y arrête. Darwin a tenté de l'expliquer en observant que les animaux dotés d'un « système » de protection survivaient mieux que les autres. C'est compréhensible, mais cela n'explique pas pour autant *comment s'est produite cette évolution.* Pas plus que n'est entièrement satisfaisante la notion de « sagesse de la providence », car les niveaux psychiques inconscients qui président à ces évolutions, chez les humains comme chez les autres créatures, n'ont rien à voir avec la sagesse.

Prenons le cas de l'élan ou orignal d'Irlande (dont on a surtout retrouvé des ossements en Irlande et au Danemark). Nous ne pouvons dire qu'il a « souhaité », au sens humain du terme, grandir ou voir ses bois se développer. Nous ne connaissons pas le processus physique qui a permis cette modification, mais nous pouvons probablement l'analyser comme le résultat de l'effet combiné d'un changement de régime alimentaire et d'une évolution du système endocrinien. Manifestement, ce fut un avantage – *jusqu'à un certain point* – d'être plus grand et doté de bois plus puissants : il pouvait ainsi mieux se défendre contre les loups, les ours et autres prédateurs; et nous ajouterons, pour rendre justice aux darwiniens, que les mâles puissants de cette nouvelle espèce (*une fois la mutation bien établie*) devaient sans aucun doute vaincre les mâles plus faibles à la saison des amours. Tous ces facteurs se conjuguant, l'élan irlandais mâle finit par devenir une créature massive dont les bois – semblables à de grandes feuilles de corne aux extrémités acérées – atteignaient parfois jusqu'à *près de quatre mètres d'envergure*.

Et puis l'élan irlandais disparut progressivement, à commencer par les races les plus grosses. Pourquoi ? L'opinion des scientifiques à cet égard a évolué, mais la raison principalement avancée demeure *ces bois*. L'hypothèse la plus couramment retenue est que, ces énormes créatures vivant dans des régions couvertes de forêts afin d'y trouver une végétation suffisante pour se nourrir, la formidable surface de leurs bois les empêchait de se déplacer aisément; les mâles, incapables de défendre leur harde, devinrent à leur tour des proies faciles.

Ainsi, s'il est *bon* de mettre en œuvre les niveaux inconscients du psychisme pour obtenir ce que vous voyez, GARDEZ-VOUS DE LAISSER L'INCONSCIENT CONTRÔLER LA SITUATION ! C'EST VOTRE ESPRIT RATIONNEL QUI DOIT COMMANDER, *pour empêcher votre nature irrationnelle et matérielle de connaître bien des ennuis.*

Non pas que l'esprit rationnel constitue la plus importante des facultés dont soit doté le psychisme. Au sens strict, CE N'EST PAS LE CAS; et plus vous progresserez dans le développement de vos pouvoirs intérieurs, plus vous vous rendrez compte de l'existence et de la réalité vivante de votre Moi Supérieur. Il vous faut, cependant, parvenir à évoluer de façon *efficace* et *sûre* pour prendre conscience de cette réalité.

Ainsi PRÉVOYEZ dans votre programme de Visualisation Créatrice, ce que vous allez

visualiser

dire silencieusement

dire à haute voix.

N'AGISSEZ PAS IMPULSIVEMENT lors des séances de Visualisation Créatrice.

RÉFLÉCHISSEZ BIEN à toutes les conséquences avant d'apporter le moindre changement dans votre programme de visualisation.

AU COURS DE LA JOURNÉE, ne parlez pas de votre programme de visualisation – mais, autant que faire se peut, PENSEZ, PARLEZ et AGISSEZ en harmonie avec ce programme.

ET N'OUBLIEZ PAS : UN GRAND AVENIR S'OFFRE À VOUS !

Cette certitude va vous aider *dès maintenant* à maîtriser les niveaux inconscients de votre psychisme.

Dans la société de consommation qui est la nôtre, beaucoup de gens ont le sentiment d'être *lésés*. Aussi, dès qu'ils parviennent à acquérir quelque chose, leur nature irrationnelle l'emporte et ils ne peuvent plus s'arrêter.

Ceci est dû en partie à la complexité du monde moderne, qui nous a fait oublier notre nature émotionnelle et instinctuelle et a engendré en nous un sentiment d'infériorité et de frustration. En fait, nous avons perdu le sens de notre unité avec le monde qui nous entoure, avec l'univers dans lequel nous vivons.

Nous pouvons toutefois surmonter cet obstacle grâce à la Visualisation Créatrice. Car nous sommes, *bien évidemment*, partie intégrante du monde et JAMAIS nous ne nous « détacherons » de l'univers; il nous suffit donc de puiser dans l'abondance qu'il nous offre chaque fois que nous y trouvons ce qui nous convient.

C'est là un fait important. Les individus qui ont le sentiment d'avoir été PRIVÉS de quelque chose doivent se rendre compte qu'ils sont partie intégrante du monde et corriger ce sentiment JUSQU'AUX NIVEAUX INCONSCIENTS DE LEUR PSYCHISME. Sinon, quand l'Abondance s'offrira à eux, *aucun effort de volonté ne pourra les empêcher de* PRENDRE *de façon puérile ce dont ils ont le sentiment d'avoir été privés, ou de chercher un produit de remplacement.* Parce que, dans ce cas, les niveaux émotionnels et instinctuels, *qui sont des niveaux sub-rationnels,* ont PRIS LE CONTRÔLE DES ÉVÉNEMENTS.

Aussi, lorsque vous saurez CE QUE VOUS VOULEZ VRAIMENT DANS LA VIE, et ce qui cadre bien avec vos véritables projets, *dirigez l'attention de votre nature émotionnelle sur l'attrait de ces biens.* Ne la laissez pas s'égarer dans la CUPIDITÉ. NE GASPILLEZ PAS VOTRE CAPACITÉ DE DÉSIR à des choses de peu d'importance, hors de propos ou contraires à vos intérêts. *Assurez-vous, au contraire, le* MAXIMUM DE PLAISIR *en pensant à ce qui fait* EFFECTIVEMENT *partie de vos projets d'avenir;* les plaisirs moins importants viendront ensuite s'insérer tout naturellement dans l'ensemble du tableau.

L'une des façons de prendre plaisir à ce que l'on souhaite est la méthode de « l'image » ou de la « représentation » déjà évoquée. Mais, en plus, *faites la chose la plus gaie qui soit :* CHANTEZ CE QUE VOUS DÉSIREZ ! Et peu importe si vous chantez faux ! Vous pouvez fredonner pour vous seul, mentalement. Cela n'en est pas moins utile !

Si vous aspirez au calme de la nature, ou encore à «une chaumière et deux cœurs», vous n'aurez aucun mal à trouver une chanson appropriée. (Veillez cependant à ne pas puiser dans le répertoire des chansons tristes : poètes et paroliers sont souvent mélancoliques !) Si l'objet de vos désirs n'a inspiré aucun poète, vous devrez inventer vos propres paroles. Rassurez-vous, vous n'allez pas chanter votre œuvre sur scène; vous ne chanterez les paroles que lorsque vous serez seul. En public, vous vous bornerez à fredonner ou à siffler un passage de la mélodie tout en « pensant » vos paroles.

Inutile, donc, d'être un génie, pour prendre le premier air qui vous passe par la tête, pour en modifier les paroles et exprimer aussi clairement que possible ce que vous voulez.

Sur l'air de *l'Auvergnat*, vous pouvez chanter, par exemple :

Elle est à moi cette moto,
et son moteur de cinq chevaux...

Ou, si vous voulez maigrir, sur l'air de « *Alouette* » :

Silhouette, jolie silhouette,
Silhouette, un jour je t'aurai !

Mais choisissez une mélodie que VOUS aimez et plaquez-y VOTRE souhait ! N'oubliez pas d'insister sur votre motivation, sur le plaisir que vous en retirerez.

L'attitude « Elle est à moi ! » est bénéfique, à deux conditions :

1. Il faut être capable d'y croire : c'est vrai ASTRALEMENT quand vous avez visualisé votre souhait intensément. (Nous y reviendrons dans le prochain chapitre.)

2. Cette démarche doit vous AIDER, et non vous GÊNER, à faire tout ce qui peut se révéler utile à sa *réalisation matérielle* – par exemple, mettre de l'argent de côté (si possible) pour acheter la moto de vos rêves.

La Visualisation Créatrice ne vous dispense pas d'agir au niveau matériel et de faire tous les efforts nécessaires à la réalisation de vos rêves, car c'est dans le monde matériel qu'ils se réaliseront.

LA VISUALISATION CRÉATRICE CONCERNE LES FACTEURS QUE VOUS NE POUVEZ CONTRÔLER. Et elle est capable de vous apporter des choses surprenantes et si personnelles que vous aurez l'impression DE RECEVOIR UN PAQUET PAR LA POSTE, *AVEC VOTRE NOM ÉCRIT DESSUS* !

Contrôle

3

– Pour la Visualisation Créatrice, fixez-vous un programme que vous pourrez suivre RÉGU-LIÈREMENT.

– Pratiquez la visualisation de préférence le soir, au lit, et essayez de dormir le mieux possible.

– Choisissez ce que vous voulez vraiment dans la vie et concentrez votre nature émotion-nelle sur cet objectif.

– Vous pouvez combiner paroles et Respira-tion Rythmique :
Inspiration – visualisez l'image
Blocage de la respiration – contemplez l'image
Expiration – affirmez ce que vous visualisez.

– Exprimez votre souhait en chantant; il est facile de changer les paroles d'une chanson connue et cela vous aidera à garder en tête ce que vous souhaitez.

4

L'être humain existe à quatre niveaux différents :

1. Le Moi Supérieur : La Flamme Divine, dont nous sommes en général inconscients.

2. La Conscience Rationnelle, responsable du bien-être et du Moi Inférieur.

3. La Nature Émotionnelle et Instinctuelle : nous en sommes conscients quand elle s'exprime par l'émotion, mais la plupart du temps, elle est profondément enfouie dans l'Inconscient Inférieur.

4. Le Corps Physique, y compris le cerveau, les organes des sens et le système nerveux.

Il existe quatre niveaux correspondants dans l'Univers :

1. Le Monde du Divin, où s'exprime le Moi Supérieur.

2. Le Monde Intellectuel, où s'exprime la Conscience Rationnelle.

3. Le Monde Astral, où s'exprime la Nature Émotionnelle et Instinctuelle.

4. Le Monde Matériel, où s'exprime le Corps Physique.

Nous existons et fonctionnons *à tous les niveaux de l'univers* – même si nous n'en sommes que partiellement conscients :

a. Nous agissons, en fait, à des niveaux dont nous n'avons personnellement pas conscience.

b. Pour agir avec « unité » (sans facteurs d'inhibition), il nous faut obtenir la collaboration des niveaux inconscients.

c. Chaque niveau peut agir soit avec soit sur le niveau immédiatement supérieur ou inférieur.

d. Plus le niveau où nous pouvons agir est élevé, plus les effets en seront certains et permanents.

Laisser pénétrer en nous la LUMIÈRE, c'est connaître un début de contact avec notre Moi Supérieur.

Le flux nutritif de la vie

4

C'est là un chapitre extrêmement important.

Chacun des chapitres de cet ouvrage est important, mais quand vous aurez lu, compris et assimilé celui-ci, vous aurez acquis une perception plus profonde du reste de l'ouvrage.

Par la Visualisation Créatrice, vous pouvez réussir ou posséder tout ce que vous souhaitez sincèrement dans la vie, comme toute personne qui, consciemment ou inconsciemment, en applique les principes.

Quelle est donc l'origine de l'abondance ? Comment nous arrive-t-elle ? Et *de quel droit* la revendiquons-nous ?

Il importe avant tout de répondre à ces questions. Car si vous en comprenez les principes, vous pourrez VISUALISER la façon dont ils agissent et comment ils peuvent vous aider. D'autre part, si un *doute subsiste* dans votre esprit, il s'opposera à votre efficacité. Et nous ne voulons pas que le moindre *effet contraire* vienne peser dans la balance.

En tant qu'être humain, vous existez simultanément à quatre niveaux différents :

Le MOI SUPÉRIEUR, de nature purement spirituelle, qui est d'essence *divine* (la Flamme Divine) mais dont nous n'avons, pour la plupart, pas conscience dans notre vie de tous les jours (l'Inconscient Supérieur, l'Esprit Intuitif, les Facultés Supérieures) mais qui est *présent* chez chacun d'entre nous.

La CONSCIENCE RATIONNELLE, qui devrait être *réceptive* à toute prise de conscience du Moi Supérieur mais qui, de ce fait, doit se montrer activement *responsable* du bien-être du *moi inférieur*.

La NATURE ÉMOTIONNELLE ET INSTINCTUELLE dont nous sommes conscients quand elle s'exprime par l'émotion, mais qui le plus souvent se trouve profondément enfouie dans l'*Inconscient Inférieur* (qui agit également en coordination avec les nerfs involontaires).

Le CORPS PHYSIQUE, enfin, dont font partie le cerveau, les organes des sens et le système nerveux.

L'univers est également composé de quatre niveaux qui correspondent à ceux de l'être humain. (*S'il existe* d'autres niveaux dans l'univers, l'homme n'est pas capable de les percevoir.) Ces quatre niveaux sont : Le MONDE DU DIVIN, domaine de notre nature la plus élevée. Le MONDE INTELLECTUEL, domaine de notre nature intellectuelle et rationnelle. Le MONDE ASTRAL, domaine de notre nature émotionnelle et instinctuelle. Enfin, le MONDE MATÉRIEL, domaine de notre corps physique.

Ainsi possédez-vous une existence qui est liée à tous les niveaux de l'univers, même si votre esprit conscient ne perçoit qu'une petite partie de cet univers.

Cela montre à quel point il est IMPORTANT d'obtenir la collaboration des *niveaux incons- cients* dans vos activités. Vous opérerez alors à des niveaux dont vous n'avez *aucune cons- cience personnelle* : un peu comme les scien- tifiques peuvent recevoir des observations grâce aux instruments qu'ils ont envoyés sur d'autres planètes ou dans les profondeurs des mers, bien qu'ils n'aient pas eux-mêmes la sensation de voir, d'entendre, de creuser ou de gratter quand les instruments accomplissent ces fonctions.

Chez l'homme, la prise de conscience de ces « instruments » sera une étape des plus précieuses – la PLUS précieuse, en fait – de son développement interne.

Pour comprendre comment « fonctionne » la Visualisation Créatrice, il nous faut consi- dérer certains des mystères de l'univers.

Chaque niveau de l'individu peut interagir avec le niveau correspondant de l'univers : nos émotions agissent sur la Lumière Astrale, comme notre esprit agit sur le monde intellec- tuel, et si nous pouvons entrer en contact avec l'Étincelle Divine, nous serons en contact avec l'Esprit Divin.

Chaque niveau de l'univers peut agir sur, ou avec, le niveau immédiatement supérieur ou inférieur. Ces niveaux, en fait, ne sont pas séparés par des frontières nettement délimitées. (Imaginez, à titre de comparaison, un cours d'eau. Au-dessus du roc, on trouve la vase, puis l'eau boueuse, puis l'eau claire. Dans l'eau de surface se trouvent de nombreuses bulles d'air et, au-dessus, un air saturé d'humidité et, plus haut, l'air pur.)

Le Monde Mental émane du Monde du Divin et lui est réceptif; il agit aussi sur le Monde Astral qu'il influence. Le Monde Astral émane du Monde Mental mais reçoit également les vibrations du Monde Matériel. Le Monde Matériel émane du Monde Astral par lequel il est directement influencé.

Nous pouvons très facilement créer des élans et des images et les « insérer » dans le Monde Astral.

Nous pouvons, par le pouvoir de l'esprit et la concentration, faire que ces élans et images du Monde Astral absorbent le pouvoir du Monde Mental. Ce pouvoir demeurant partie du Monde Mental, nos élans et images ont maintenant leur contrepartie à un niveau purement mental.

Nous ne pouvons directement « provoquer » une action quelconque du Monde Divin (du moins tant que nous n'avons pas accédé au niveau des grands initiés, des mystiques, de ceux que l'on nomme les thaumaturges, de ceux qui accomplissent des « miracles »). Toutefois, nous pouvons créer un « pont » qui permettra au Pouvoir Divin d'agir sur le Monde Mental. Puis, si les contacts sont continus, cette action produira naturellement ses effets dans le Monde Astral (car le Monde Mental est « causal » au Monde Astral) et ces effets se répercuteront dans le Monde Matériel.

Mais, puisque nous sommes capables d'insérer des élans et des images dans le Monde Astral, pourquoi ne pas simplement attendre qu'ils se répercutent sur le monde matériel et provoquent les modifications souhaitées ?

On utilise parfois la Visualisation Créatrice de cette façon, mais ses effets sur le monde matériel se traduisent alors par des résultats peu concluants et éphémères.

PLUS LE NIVEAU OÙ NOUS POUVONS METTRE EN ŒUVRE UNE ACTION SOUHAITÉE EST ÉLEVÉ, PLUS LES EFFETS EN SONT CERTAINS ET PERMANENTS.

Les mystiques du Moyen Âge le savaient parfaitement. Ils méprisaient les modifications mises en œuvre au seul niveau astral car elles étaient le fait de ceux qui soit ne possédaient pas la connaissance suffisante pour aller plus haut, soit N'OSAIENT PAS le faire, pour des raisons d'ordre moral. Aux effets réduits ou éphémères de la simple opération au niveau astral, ils donnaient le nom de « charme ». Ce mot a pris un sens différent de nos jours mais il n'en définit pas moins un effet, un attrait dont les causes physiques, instinctuelles ou émotionnelles appartiennent exclusivement aux mondes matériel et astral.

Il est donc important pour VOUS de :

a) SAVOIR COMMENT amener vos programmes de Visualisation Créatrice à ces niveaux supérieurs qui permettront à leurs résultats d'être *durables et fiables*.

b) COMPRENDRE l'éthique de la Visualisation Créatrice de façon à éviter les hésitations, les réticences ou un sentiment de culpabilité qui vous empêcheraient d'atteindre ces niveaux supérieurs.

Tout le reste du présent ouvrage est consacré à LA PRATIQUE de la Visualisation Créatrice. Mais c'est *maintenant* qu'il nous faut parler d'ÉTHIQUE.

Nous avons vu les interactions des niveaux de l'univers et comment, en fait, ils sont mêlés et liés. Il n'existe pas de séparation nette entre « l'esprit » et « la matière ». En fait, les séparations sont rarement abruptes dans l'univers. Même au niveau de l'équateur, le soleil ne disparaît pas brutalement derrière l'horizon, un bref crépuscule adoucit le passage du jour à la nuit. Dans de nombreuses régions existent des mammifères amphibies, de même qu'il existe des poissons qui marchent. Certains végétaux ressemblent à des animaux et certains animaux à des végétaux. Sans s'étendre davantage sur ce sujet fascinant, on peut dire que *les frontières n'existent pas;* les parties du monde et de l'univers se confondent en un tout, de même que font partie d'un tout –

l'individu – l'esprit supérieur de l'homme et son corps physique. On peut être émotionnellement déprimé et sublimer la douleur physique; une maladie grave peut être surmontée par la joie spirituelle, la confiance, la force du malade lui-même ou d'une autre personne, car il n'existe pas non plus de frontière rigide entre les individus.

Les physiciens nous disent aujourd'hui ce que les mystiques ont toujours su : tout ce qui existe, même la matière la plus dense, se compose uniquement d'*énergie*. ET QU'EST-CE QUE L'ÉNERGIE ?

On peut la définir comme « le pouvoir ou la capacité d'exercer une puissance ou une activité ». Et ce qui VOUS caractérise, c'est en effet votre capacité à exercer une activité. Vous êtes donc à l'aise dans un univers qui, spirituellement et matériellement, possède les mêmes caractéristiques. (Même un morceau de plomb ou de verre se compose d'atomes qui, avec leurs éléments, se trouvent en état d'activité intense.)

Il est aberrant de prétendre, comme le font certains, que nous devons utiliser nos seuls pouvoirs physiques pour obtenir des biens matériels et conserver nos pouvoirs spirituels pour obtenir des biens spirituels : tout effort physique, pour être efficace, fait appel à notre intelligence, de même que tout effort intellectuel requiert l'énergie que procurent une bonne alimentation et le repos. Là encore, L'INDIVIDU FORME UN TOUT.

Certaines personnes isolent des passages du Nouveau Testament de leur contexte et tentent d'en faire une règle de vie. Il n'est pas juste de citer des phrases hors de leur contexte, quel que soit l'ouvrage en cause, et particulièrement lorsqu'il s'agit d'une œuvre aussi complexe que le Nouveau Testament. En fait, l'existence de quatre Évangiles suggère qu'il existe un certain équilibre entre eux.

Il convient donc, si l'on veut étudier tel ou tel passage, de situer tout le Nouveau Testament « dans son contexte », en voyant d'abord à qui il était destiné à l'origine.

Il a été écrit à l'intention des peuples de la Méditerranée orientale, surtout des Juifs et des Grecs, peuples extrêmement intelligents mais en général plus rudes, moins sensibles que leurs homologues des temps modernes, et qui possédaient également les vertus de leurs défauts. Ils étaient tout à fait convaincus que leur Dieu ou leurs dieux exauçaient les prières qu'on leur adressait selon des rites établis, même si ces rites étaient souvent assez peu représentatifs de leur identité ou de leur caractère particulier. Peut-être fallait-il également leur dire « d'aimer leur prochain comme eux-mêmes », mais du moins pouvait-on présumer qu'ils s'aimaient déjà eux-mêmes, ce qui n'est pas toujours vrai de nos jours.

En lisant le Nouveau Testament, donc, il ne suffit pas de découvrir ce qui s'y trouve *et pourquoi*; il faut également y voir CE QUI EST IMPLICITE.

On trouve dans l'Évangile selon saint Matthieu (ch. VI, versets 7 et 8) un passage qui trouble certains individus qui l'appliquent à la Visualisation Créatrice.

En priant, ne multipliez pas de vaines paroles, comme les païens qui s'imaginent qu'à force de paroles ils seront exaucés. Ne leur ressemblez pas; car votre Père sait de quoi vous avez besoin, avant que vous le lui demandiez.

On trouve, dans le même chapitre de l'Évangile selon saint Matthieu, un autre conseil très précieux (versets 25 et suivants) : *Ne soyez pas anxieux;* écoutez-le, qu'il s'agisse de prière ou de Visualisation Créatrice. Quoi que vous décidiez de faire pour votre avenir, il faut Y CROIRE, ou bien *différer tout jugement*. En d'autres termes, gardez l'esprit serein. L'ANXIÉTÉ EST TOTALEMENT DESTRUCTRICE, non seulement pour les délicats systèmes astraux mais également pour vous, pour votre énergie, votre sommeil, votre digestion et vos nerfs. C'est pourquoi, bien que vous ayez intérêt à vous occuper de votre avenir (et la Visualisation Créatrice reste la meilleure technique pour cela), soyez prudent : *mieux vaut encore vous abstenir plutôt que de laisser l'anxiété s'emparer de votre esprit.*

Mais, pour en revenir à Matthieu, n'oublions pas que sa tâche consistait à collecter des droits de péage (ch. IX, verset 9), ce qui explique sans doute son anxiété à propos de l'argent. Quoi qu'il en soit, les hommes dont il raconte l'histoire dans son Évangile sont des êtres tout à fait ordinaires qui, lorsqu'ils désirent quelque chose, LE DEMANDENT de façon parfaitement *naturelle*. Et le Christ le leur accorde; *sans un mot de reproche, bien qu'ils sollicitent des bienfaits « terrestres »*, généralement la santé pour eux-mêmes ou pour leurs proches. Ainsi le lépreux (ch. VIII, verset 2) : *Seigneur, si tu le veux, tu peux me rendre pur.* Ou le centurion (ch. VIII, verset 6) : *Seigneur, mon serviteur est couché à la maison, atteint de paralysie...* Ou encore le chef (ch. IX, verset 18) : *Ma fille est morte il y a un instant, mais viens, impose-lui les mains et elle vivra.*

Si nous lisons les autres Évangiles, nous y trouvons même des individus *que le Christ exhorte à demander ce qu'ils souhaitent de façon explicite*, bien que ce qu'ils désirent soit évident. Ainsi Bartimée, le mendiant aveugle (Évangile selon saint Marc, ch. X, versets 46 à 52) : *Que veux-tu ? lui demande Jésus. Maître, je veux voir, lui répond l'aveugle.* De même, l'homme malade à la piscine de Béthesda (Évangile selon saint Jean, ch. V, verset 6) : *Jésus l'ayant vu couché, et sachant qu'il était déjà malade depuis longtemps, lui dit : Veux-tu être guéri ?*

Ces exemples nous montrent qu'il est bon D'EXPRIMER CLAIREMENT CE QUE L'ON DÉSIRE !

Mais nous avons bien d'autres passages du Nouveau Testament à citer.

On trouve dans l'Évangile selon saint Marc (ch. XI, versets 22 à 24) l'extraordinaire exhortation suivante : *Ayez foi en Dieu. Je vous le*

*dis en vérité, si quelqu'un dit à cette monta-
gne : Ôte-toi de là et jette-toi dans la mer, et
s'il ne doute point en son cœur, mais croit
que ce qu'il dit arrive, il le verra s'accomplir.
C'est pourquoi je vous dis : « Tout ce que
vous demanderez en priant, croyez que vous
l'avez reçu, et vous le verrez s'accomplir. »*
Le verset suivant nous invite à pardonner aux
autres afin d'être nous-mêmes pardonnés, ce
qui est probablement lié à « la prière à Dieu
le Père » dans l'Évangile selon saint Matthieu
(ch. VI) : *Entre dans ta chambre, ferme ta
porte, et prie ton Père qui est là dans ce lieu
secret...*) et NON PAS « ton Père qui est aux
cieux ! » Ce Dieu auquel il est demandé d'avoir
foi est le même que celui de Luc (ch. XVII,
verset 21) :

LE ROYAUME DE DIEU EST AU MILIEU DE VOUS.

La lecture du Nouveau Testament devrait
éclairér bien des points.

Nous en arrivons enfin à la *Parabole du
Juge inique* (Luc, ch. XVIII, versets 1 à 8) :
une veuve craint un ennemi et veut s'en protéger en ayant recours à la loi. Aussi se rend-
elle chez le juge *qui ne craignait point Dieu
et qui n'avait d'égard pour personne.* Celui-ci
ignore d'abord la plainte de la veuve et ne
fait rien. Aussi revient-elle et se plaint-elle de
nouveau. Et encore. Et encore. Si bien qu'à
la fin, lui qui ne craignait rien ni personne
finit par craindre *qu'elle ne vienne sans cesse
lui rompre la tête* et lui accorde ce qu'elle
demande.

Et le Seigneur ajouta : Entendez ce que dit

le juge inique. Et Dieu ne fera-t-il pas justice à ses élus, qui crient à lui jour et nuit, et tardera-t-il à leur égard ?

À la différence du passage de Matthieu (ch. VI, versets 7 et 8), nous voyons qu'il est conseillé aux fidèles *de demander explicitement ce qu'ils veulent* et de *recommencer jusqu'à ce qu'ils l'obtiennent.* Quant à l'avertissement lancé contre « les *vaines paroles* » il s'agit manifestement d'une mise en garde contre la répétition de mots dépourvus de sens (ou qui n'expriment pas ce que VOUS voulez).

Ainsi, le Nouveau Testament préconise-t-il les moyens spirituels et mentaux pour obtenir la satisfaction des besoins terrestres.

Reste cependant une réserve quant à l'utilisation de ces moyens. S'il est normal de vouloir obtenir quelque chose d'utile, il n'en va pas de même pour *l'argent* qui demeure « suspect ». Nous réagissons de la même manière que nos ancêtres pour lesquels la seule forme établie et respectable de commerce était le troc, et qui pensaient que l'argent pouvait déplaire aux dieux.

Cette époque a existé. Mais peut-être connaîtrons-nous d'autres temps où l'argent n'aura plus sa place dans notre mode de vie. Toutefois, à l'heure actuelle, l'argent n'est qu'un intermédiaire pour obtenir ce que nous désirons, qu'il s'agisse de payer un dîner ou les frais d'un séminaire sur la méditation. En outre, la Visualisation Créatrice permet d'obtenir des bienfaits *qu'il ne serait pas sage de rechercher sans posséder un minimum d'argent pour les garder ou les entretenir :* une maison, une voiture... ou même une épouse ! (Nous en reparlerons au chapitre 6, intitulé « Les étapes de la réussite ».)

L'argent est un bien qui nous attire plus au niveau mental qu'au niveau émotionnel (bien qu'il puisse également nous séduire au niveau émotionnel, non pas pour ce qu'il est, mais pour ce qu'il nous permet d'obtenir). Afin d'éviter tout conflit intérieur, assurez-vous que l'idée de l'argent ne *répugne pas* à votre nature émotionnelle, soit parce qu'il se situe « en dehors de l'ordre naturel », soit parce qu'on vous a inculqué dès l'enfance qu'il n'était pas « correct » de parler d'argent.

En fait, dans toute communauté organisée, l'argent possède une fonction définie, bien trop réelle pour qu'on la considère comme purement métaphorique. Le symbole de l'argent répond parfaitement à son rôle de moteur de la vie économique et culturelle; il permet le renouveau des activités, la croissance matérielle et le développement intellectuel.

De même que le sang irrigue notre corps, l'argent assure la capacité de vivre et d'agir à notre guise au sein de la communauté. Un jeune homme, à qui l'on demandait sa profession, répondit en s'excusant : « Je suis courtier en assurances – assurance-retraite, assurance destinée à payer les études des enfants, ce genre de choses. » Or, il n'avait pas à s'excuser ! Puisqu'il aidait ses semblables à veiller *à la garantie du flux nutritif de la vie* au moment où ils allaient prendre leur retraite ou lorsqu'ils voulaient s'assurer de la bonne éducation de leurs enfants.

L'une des principales erreurs en ce qui concerne l'argent est de l'accumuler au lieu d'en faire bon usage. (Nous ne parlons pas ici, bien sûr, de l'épargne, qui est tout à fait légitime.)

Faire de petits profits n'est pas dangereux et l'argent que nous gagnons par notre travail n'est pas véritablement un « gain », mais plutôt un « échange »; quant aux gains que nous acquérons par la simple activité astrale, ils sont en général, comme nous l'avons déjà dit, tout à fait éphémères. Pour ce qui est des gains obtenus à un niveau supérieur (*comme vous pourrez le faire quand vous aurez lu ce livre*), il est important de les MAINTENIR EN CIRCULATION.

De même que chaque élément de votre corps fait partie du système vital, de même allez-vous fonctionner *comme partie du cosmos*. Vous ne conserveriez pas votre bras en meilleure santé en y plaçant un garrot pour y maintenir l'irrigation sanguine. (À moins d'une blessure grave et seulement pendant un bref instant !) Le bras ne tarderait pas à subir des lésions permanentes, pour finalement SE GANGRÉNER.

Ainsi, en entassant vos gains, vous coupez-vous de toute circulation et ne faites-vous plus partie du courant de la vie. FAITES UN USAGE PRUDENT ET SAGE de tout ce que vous parviendrez à acquérir et – nous le répétons – FAITES-LE CIRCULER.

On pourrait écrire des milliers de pages sur l'éthique de l'argent, mais ces principes fondamentaux nous montrent déjà que, dans notre culture (telle qu'elle se présente maintenant et s'est affirmée depuis des siècles), faire mauvais usage de l'argent (ou de toute autre ressource de la planète), c'est faire mauvais usage de *quelque chose qui est bon en soi*. Si nous avons besoin d'argent pour assurer notre propre mode de vie, pour exprimer et développer notre individualité, il est tout à fait légitime de le rechercher à un niveau supérieur. John Wesley (1703-1791), homme d'une grande pénétration spirituelle et d'un grand sens pratique, répondait, quand on lui demandait quel conseil il donnerait à ses disciples en ce qui concerne l'argent :

GAGNEZ-EN AUTANT QUE VOUS POUVEZ. DONNEZ-EN AUTANT QUE VOUS POUVEZ.

Laissons là le sujet de l'argent et voyons comment nous pouvons appliquer le même principe à d'autres manifestations de la force vitale, telles que le RÉTABLISSEMENT DES FORCES, L'EXPRESSION À TRAVERS LES ARTS DE LA VISION INTÉRIEURE, L'ENSEIGNEMENT DE LA CONNAISSANCE, LES CONSEILS POUR ATTEINDRE LA SAGESSE. Il existe de nombreuses façons d'y parvenir ; mais dans tous les cas, pour vous permettre de *continuer*, il va vous falloir :

CONSERVER VOTRE LIEN AVEC LES SOURCES SUPÉRIEURES.

CONTINUER À MAINTENIR, D'UNE MANIÈRE OU D'UNE AUTRE, LA CIRCULATION VERS L'EXTÉRIEUR.

Bien évidemment, vous n'aurez pas à adopter toutes les méthodes dont nous avons parlé. Vous pouvez « maintenir la circulation » sans l'aide particulière de l'une de ces méthodes. *Songez au bienfait que l'on retire de la rencontre d'un être qui rayonne de vitalité, de confiance, d'optimisme et d'amitié !* Cet être, qu'il soit médecin, contrôleur de bus, étudiant, peut éclairer votre journée. ENCORE FAUT-IL, POUR CELA, QUE LA VITALITÉ CIRCULE DE LUI À VOUS.

Lorsque la force vitale sera en vous, vous SEREZ l'un de ceux-là (et probablement bien davantage encore.)

Cette abondance, ce flux continu d'énergie des niveaux supérieurs vers l'extérieur ne se bornera pas à vous permettre d'obtenir plus facilement les biens que vous vous représentez en image. Songez aux bienfaits que vous en retirerez pour votre vie intellectuelle, émotionnelle et physique, votre santé et votre tonus.

Tant de personnes sont habituées à « ne pas être malades » que lorsqu'elles découvrent l'immense potentiel de la Visualisation Créatrice, elles ne pensent jamais que la santé est capitale. Aussi, lors de vos séances de Visualisation Créatrice (et en d'autres occasions), consacrez quelques instants à vous *voir* EN BONNE SANTÉ, FORT, CONFIANT, DÉTERMINÉ, SÉDUISANT et RADIEUX.

Comment y parvenir ?

De plusieurs manières, mais nous allons vous donner un excellent moyen qui fera partie de votre programme de Visualisation Créatrice.

Qu'entendons-nous par « niveaux supérieurs » ? Imaginez UN niveau supérieur d'où va découler tout ce qui émane de vous. On peut lui attribuer plusieurs noms aux connotations différentes :

> *Dieu*
> *La Flamme qui est en vous*
> *Votre Moi Supérieur*
> *Votre Divin Ami (ou Amour)*
> *Votre Ange Gardien*

Si vous êtes expert en matière de Kabbale, de yoga ou de toute autre forme de sagesse, peut-être avez-vous déjà choisi un nom ou un concept. Si ce n'est pas le cas, ou si vous hésitez, le *Moi Supérieur* constitue probablement le choix le plus judicieux.

Il ne faut pas confondre Moi Supérieur et Moi Inférieur; le Moi Supérieur *vous concerne totalement*. C'est, en fait, une étincelle de l'Esprit Divin et il se trouve en perpétuelle harmonie et en communion avec cet Esprit; ne vous laissez pas troubler par l'idée qu'il doit être bien trop occupé à veiller sur des millions d'autres êtres, ou à organiser les galaxies, pour se soucier de *vous*.

VOUS ET VOTRE DESTIN ÊTES EXCEPTIONNELLEMENT IMPORTANTS. VOUS ÊTES EXCEPTIONNELLEMENT IMPORTANT POUR VOTRE MOI SUPÉRIEUR. L'ÉVOLUTION PERSONNELLE N'EST PAS CONCURRENTIELLE. VOS PROGRÈS NE LÈSENT PERSONNE – BIEN AU CONTRAIRE !

Où donc se trouve, maintenant, cette source élevée ? Ou plutôt, s'agissant d'une réalité spirituelle et non matérielle, *où allons-nous la situer ?*

Si vous parlez de Dieu, vous allez probablement dire « là-haut ». Si vous parlez de la Flamme Divine, vous allez dire, « ici, en moi ». Si vous parlez de votre Moi Supérieur, vous pouvez dire l'un ou l'autre car les deux notions sont également vraies. En vérité, ni l'une ni l'autre ne sont totalement adéquates, mais « là-haut » et « ici, en moi » vous permettent au moins de vous représenter quelque chose !

Quoi qu'il en soit, tenez-vous debout, bien droit, les pieds joints, les bras le long du corps, et commencez votre Respiration Rythmique.

Représentez-vous intensément une lumière blanche, qui prend naissance au plus profond de vous-même – au plus profond de votre psychisme. Cette lumière va baigner toutes les parties de votre être physique et spirituel, et dépasser votre enveloppe charnelle pour vous entourer d'une élipse lumineuse et bienfaisante.

OU BIEN,

voyez la source de cette merveilleuse lumière comme une auréole resplendissante au-dessus de votre tête. De cette auréole, la lumière scintillante descend et pénètre dans chacune des parties de votre être physique et spirituel, vous nimbant d'une blancheur lumineuse et vivante.

DANS L'UN ET L'AUTRE CAS,

ressentez cette lumière comme un rayonnement intense et pénétrant comme une chaleur vivante, enfin comme un soleil puissant et bénéfique. Paix, bonheur et confiance apaisent alors votre psychisme, tout comme le soleil réchauffe votre corps.

Bien que la lumière vous entoure et vous pénètre entièrement, vous pouvez concentrer votre attention sur telle ou telle partie de son flux. Voyez-la s'écouler, chatoyer *à travers votre corps physique*, le vitaliser. Sentez-la, purifiante et tiède, lorsqu'elle pénètre une épaule un peu raide ou toute autre partie du corps qui vous fait mal. (Ne cessez pas votre Respiration Rythmique pendant ce temps.) Ressentez son influence, à la fois apaisante et dynamisante, qui vous pénètre de la tête aux pieds, qui pénètre au plus profond de votre psychisme. Au bout d'un moment, vous vous sentirez tout à fait détendu et paisible. Vous pourrez alors la laisser s'estomper doucement. Plus tard, vous apprendrez à vous emplir de la lumière de votre Moi Supérieur avec des techniques encore plus puissantes de la Visualisation Créatrice. Mais cette pratique va demeurer d'une importance capitale dans votre vie. Grâce à elle, vous SENTEZ la bienveillance de votre Moi Supérieur à votre égard. FAITES-EN L'EXPÉRIENCE AUSSI PLEINEMENT ET AUSSI SOUVENT QUE VOUS LE POURREZ – TOUS LES JOURS, PLUSIEURS FOIS PAR JOUR – ET *SACHEZ* QUE VOUS VIVEZ ET QUE VOUS ÉVOLUEZ AU SEIN DE CETTE LUMIÈRE !

Contrôle

4

– Continuez à pratiquer la Visualisation Créatrice (cf. Contrôle, chapitre 3).

– Continuez à pratiquer la Relaxation Créatrice.

– Ne manquez pas une occasion d'utiliser la Respiration Rythmique.

– Peut-être ne parvenez-vous pas à *prendre conscience* des quatre niveaux de votre existence, mais tentez de comprendre ce que chacun d'eux représente dans votre vie. *Répétez cet effort de temps à autre car votre prise de conscience des quatre niveaux va se développer.*

– Faites l'expérience de la lumière qui pénètre tout votre Moi Supérieur, en choisissant la méthode qui vous convient le mieux. Et surtout, faites-la « circuler » CHAQUE JOUR (ou plus souvent) au moyen de cette expérience, pour votre bénéfice et celui des autres.

– Relisez le Nouveau Testament, notamment les quatre Évangiles et les Actes des Apôtres; voyez combien de fois ils nous invitent à améliorer notre vie matérielle grâce à la Puissance Divine. *Notez vos textes favoris.*

POINTS D'ÉTUDE

5

Tout vous arrive par l'intermédiaire du Moi Supérieur.

1. L'énergie du Moi Supérieur est canalisée par les niveaux conscients et inconscients du psychisme.

2. L'action se situe aux niveaux correspondants de l'univers extérieur.

Inutile de préciser par quelle source du monde matériel doit vous parvenir ce que vous voulez :

1. car la véritable source se situe au niveau spirituel;

2. car ce qui apparaît comme la source matérielle la plus évidente peut, en fait, ne pas être la bonne.

Évitez d'encombrer votre Nature Émotionnelle de *faux souhaits*.

1. Les faux souhaits vous font perdre du temps, de l'énergie et de l'attention.

2. Les faux souhaits vous privent d'une partie de votre pouvoir de décision.

3. Les faux souhaits vous rendent impatients :

CONCENTRATION - RÉSOLUTION - PATIENCE !

La notion de prix, de contrepartie financière, est étrangère à la Visualisation Créatrice.

1. Attendez de l'Abondance de l'univers la satisfaction de vos besoins.

2. Ne « marchandez pas » ce que vous voulez obtenir car cela abaisserait votre travail de Visualisation Créatrice à un niveau inférieur à celui de votre Moi Supérieur.

3. Ayez confiance en l'avenir, croyez à la réalisation de vos souhaits, car toute autocensure (peur, anxiété, autodépréciation) ferme la porte au Moi Supérieur.

L'abondance spirituelle

5

D'où vient ce que l'on obtient grâce à la Visualisation Créatrice ?

Dans le monde matériel, chaque chose émane d'une source; mais quand vous ferez de la Visualisation Créatrice, ne vous préoccupez que d'une seule source, la source *spirituelle*. D'ailleurs, vous constaterez qu'il est plus efficace de ne penser qu'à une seule source bienfaisante. Nous avons vu qu'il existait diverses manières de concevoir et d'appeler cette Source. Elle doit désigner l'Être supérieur avec lequel vous entretenez une relation personnelle profonde et directe.

Dans tout ce qui va suivre, nous l'appellerons simplement le *Moi Supérieur*.

Ce que vous décidez de visualiser en premier lieu, que ce soit dans un but matériel ou non, doit être visualisé en toute confiance comme émanant de cette source spirituelle.

Grâce à la puissance de cette source canalisée par les niveaux conscients et inconscients de votre psychisme, l'action se situe aux niveaux correspondants de l'univers extérieur pour réaliser au niveau terrestre ce que vous vous êtes représenté. *C'est POURQUOI vous pouvez affirmer* que ce que vous visualisez EST DÉJÀ EN VOTRE POSSESSION.

Cela VOUS appartient astralement parce que vous l'avez inséré dans la réalité astrale; cela vous appartient mentalement et spirituellement car vous avez mis en action ces deux niveaux au moyen de vos forces mentales et spirituelles, de sorte que ce que vous créez astralement VA SE RÉALISER matériellement.

Dans le chapitre suivant, vous verrez comment mener à bien cette opération avec la plus grande précision. Pour l'instant, voyons les *erreurs qu'il vous faudra éviter.*

Si vous avez lu d'autres ouvrages sur la Visualisation Créatrice, vous aurez remarqué que l'on vous met toujours en garde contre la spécification ou la visualisation d'une source de biens dans le monde matériel pour ce que vous désirez; mais on vous donne rarement les RAISONS de cette mise en garde. Il en existe deux, très importantes l'une et l'autre.

La première raison pour laquelle vous ne devez pas préciser ou visualiser la source matérielle de ce que vous souhaitez obtenir est que vous risqueriez ainsi d'obscurcir votre perception ou même votre foi dans *LA SOURCE SPIRITUELLE. La seconde raison* est que ce qui vous apparaît comme la source matérielle la plus évidente PEUT EN FAIT NE PAS ÊTRE LA BONNE. Ainsi, vous provoqueriez un retard et feriez des efforts inutiles en « frappant à la mauvaise porte ».

Il y a quelques années, à Londres, un autodidacte se livrait à des recherches personnelles sur l'alchimie. Il avait découvert un indice capital qui faisait référence à un philosophe peu connu du Moyen Âge. Il fit des recherches dans toutes les librairies et les bibliothèques, en vain. Tous ceux auxquels il s'adressait le regardaient comme un rescapé de l'arche de Noé. C'est alors qu'il décida d'essayer la Visualisation Créatrice.

Ce qu'il lui fallait, en fait, c'étaient certains RENSEIGNEMENTS sur ce philosophe (que nous nommerons Dr Susconditus). *Or il demandait* un LIVRE sur les enseignements du Dr Susconditus. Certes, les livres sont très utiles, mais il est parfois souhaitable d'aborder un sujet par d'autres moyens.

Quelques semaines après avoir commencé sa pratique de la Visualisation Créatrice, il reçut un prospectus d'un éditeur européen annonçant la parution d'une édition d'un des premiers manuscrits du Dr Susconditus. Notre ami porta son prospectus à un libraire qui lui annonça le prix de l'ouvrage, très élevé et payable d'avance; il décida cependant d'en passer commande.

Quand arriva le livre, quelques mois plus tard, il découvrit à sa grande surprise que le format en était si réduit par rapport à l'original qu'il était pratiquement illisible. En outre, le latin du Dr Susconditus était très différent du latin qu'avait appris notre autodidacte. En fait, il avait perdu son temps et son argent.

Une chose, cependant, était claire : sa Visualisation Créatrice avait parfaitement marché. Il recommença, en formulant son souhait de façon différente : « Je souhaite des informations sur les enseignements du Dr Susconditus. »

Le week-end suivant, en se promenant au petit matin le long de la Tamise, comme il aimait à le faire, il entama une conversation avec un jeune homme qui admirait le paysage en ce matin plutôt frisquet. À leur surprise mutuelle, ils se découvrirent un goût commun pour l'ésotérisme. Bientôt, devant un petit déjeuner, il apparut que l'étranger habitait loin de Londres et qu'il était seul et sans argent. Notre ami, qui dans sa vie avait connu bien d'autres déboires, lui conseilla de téléphoner à sa famille en PCV et, en attendant, lui offrit l'hospitalité. Reconnaissant, le jeune étranger lui dit :

– Si par hasard je puis faire quelque chose pour vous...

Notre ami lui répondit instantanément :

– *Je voudrais des informations sur les enseignements du Dr Susconditus !*

Pour la première fois, son interlocuteur ne le regarda pas comme s'il venait d'une autre planète :

– Mais bien sûr, dit-il. Je connais quelqu'un qui pourrait vous aider. C'est un de mes anciens professeurs, il est spécialiste de Susconditus. Il déteste la publicité, mais si je lui écris, il vous recevra probablement.

Ainsi fut fait; et notre ami apprit aussitôt

ce qu'il souhaitait savoir. Il bénéficia en outre des connaissances d'un universitaire sur la manière d'organiser ses recherches et enfin (parce que le vieux professeur fut ravi de rencontrer un homme ayant une approche nouvelle sur son sujet favori) un aperçu des grands mystères de la pensée alchimique dans d'autres domaines d'étude.

Ainsi, a) précisez exactement ce que vous voulez, mais également b) N'INDIQUEZ aucune source matérielle susceptible de vous le procurer. Et l'on peut tirer de cette histoire un autre enseignement. Comme dans bon nombre d'histoires vraies concernant les succès de la Visualisation Créatrice (et l'on pourrait en raconter bien d'autres), vous remarquerez que celle-ci ressemble à un conte de fées. Peu importe le siècle où vécurent les protagonistes, peu importent leur âge, leur sexe, leur quête : tous semblent s'être retrouvés, pour un temps, dans un monde de lumière dorée. *Ce n'en sont pas moins des histoires vraies.* Vous-même, peut-être, avez connu des moments dans votre vie où vous saviez que vous ne « pouviez faire un seul pas dans la mauvaise direction ».

L'existence d'un lien entre votre esprit rationnel et le *niveau archétype* de l'existence signifie que vous « agissez avec pouvoir », le pouvoir véhiculé par le Moi Supérieur. Parfois, bien sûr, cela se produit alors que vous n'en êtes pas du tout conscient, du moins pas avant que vous y réfléchissiez. Mais lorsque vous en prenez conscience, c'est tout à fait enrichissant.

Lorsque vous sentirez – comme j'en suis convaincu – ce lien direct avec le Moi Supérieur dans l'action archétype (comme si vous reviviez, dans la réalité, la découverte de quelque ancien mythe), *vous éviterez sans aucun doute les erreurs que nous allons évoquer.*

En outre, même sans en être arrivé à cette prise de conscience lorsque vous visualisez, vous serez puissamment aidé et soutenu par

LA RÉSOLUTION

LA CONCENTRATION

LA PATIENCE

ainsi que par la Respiration Rythmique et la Relaxation Créatrice.

Car l'une des erreurs à éviter – nous l'avons déjà évoquée – est de confondre *tension nerveuse* et *intensité émotionnelle.* La tension nerveuse ne se borne pas à détruire les qualités précitées, elle est également un refus implicite de cette *foi en la réussite* qui fait partie d'une Visualisation Créatrice efficace. Vous SAVEZ que vous êtes en train de créer, astralement, et d'insuffler dans la réalité spirituelle, ce qui doit vous être donné dans le monde matériel. *La tension est le prélude naturel à l'action* – mais VOUS ÊTES DÉJÀ plongé dans l'action qui doit se révéler efficace dans ce cas. Alors pourquoi être tendu ? Désirez avec force, *mais pas avec vos nerfs* !

Une tension accumulée est signe de peur, de frustration, d'anxiété. Respirez de façon rythmique, relaxez-vous, souriez : BANNISSEZ LA TENSION.

Il est une autre erreur que vous devez éviter :

permettre *que de faux souhaits viennent semer le trouble* dans votre nature émotionnelle, ce qui peut facilement se produire à notre époque, où la publicité et l'opinion publique vous dictent ce que vous devez aimer, ce que vous voulez.

Il ne s'agit pas d'ignorer totalement la publicité : elle nous révèle ce que ce monde peut nous offrir et ce qu'il peut attendre de nous. La publicité est utile du point de vue pédagogique, non seulement pour les jeunes mais aussi pour les moins jeunes qui ont parfois tendance à oublier que les normes varient continuellement. La publicité nous fournit des renseignements importants sur notre société.

N'ignorez pas non plus les bons conseils. Peut-être savez-vous déjà ce que vous voulez, par exemple une maison ou une voiture. Mais dans quel ordre ? Et quelle sorte de voiture et de maison, où et quand ? Pour vous aider à répondre à toutes ces questions, prenez l'avis d'autrui.

Évitez de faire comme cette femme qui veut acheter un manteau en solde et revient avec dix robes, toutes des « affaires », mais dont cinq ne lui vont pas et cinq autres ne lui plaisent pas. Ce n'est pas tant l'achat *d'objets*, que le désir d'acheter qui est en cause quand on vous suggère des souhaits qui ne sont pas les vôtres, des besoins qui n'en sont pas.

Ces faux rêves vous COÛTENT quelque chose, et quelque chose de précieux. Ils vous coûtent du temps, de l'énergie, de l'attention – de la *concentration* – et une partie de votre pouvoir de décision – de *résolution*! *Toutes qualités qui vous sont nécessaires pour la Visualisation Créatrice.*

Il faut donc toujours vous imaginer *heureux, prospère, calme et en bonne santé,* en accordant votre attention UNIQUEMENT aux aspects du tableau qui vous semblent indispensables pour l'instant. Et faites FRÉQUEMMENT appel, dans votre esprit, *à la source spirituelle qui vous apportera ces bienfaits!*

Une situation de crise peut se révéler efficace car elle vous incite à identifier l'objet dont vous avez besoin pour sortir de la crise et à agir en conséquence; mais *c'est également en situation de crise, qu'il faut s'armer contre l'anxiété, le doute et la tension.* Prenons l'exemple d'Annie Z. (On remarquera au passage que la plupart de nos anecdotes de Visualisation Créatrice concernent des personnes plutôt défavorisées par le sort. Cela ne signifie en AUCUN CAS que d'autres, plus gâtées par la vie, ne pourront y avoir recours et que les résultats seront moins bons. On constate fréquemment que ces derniers désirent des objets difficiles à acquérir : un homme possède une jarre antique et rare à laquelle il ne manque que le couvercle; une femme se trouve dans un état de dépression dont les meilleurs spécialistes n'ont pu venir à bout, un fabricant de produit chimique recherche un bon moyen d'utiliser ses déchets... Dans de nombreux cas, ces personnes peuvent avoir recours avec succès à la Visualisation Créatrice et les conditions du succès sont les mêmes pour elles que pour les autres. Mais leur succès ne sera

pas aussi frappant; répétons-le, NOMBRE D'INDI-
VIDUS QUI RÉUSSISSENT ONT SANS CESSE RECOURS À
LA VISUALISATION CRÉATRICE MAIS FONT DE LEUR
RÉUSSITE LEUR « SECRET » PERSONNEL. Ce qui est
tout à fait leur droit, et lorsque nous apprenons
de tels faits, nous ne pouvons les publier.)

Revenons-en donc à ceux qui sont moins
gâtés par le sort. Si vous aviez rencontré Annie
Z, vous ne l'auriez sans doute pas classée dans
cette catégorie. DE MÊME QU'ELLE NE SE CONSIDÉ-
RAIT PAS COMME LÉSÉE PAR RAPPORT AUX AUTRES.
Elle était célibataire, cultivée, mais elle ne
roulait pas sur l'or. Mais peu lui importait :
« J'AI TOUT L'OR QU'APPORTE LE SOLEIL », disait-elle,
et elle visualisait tout ce dont elle pouvait
avoir besoin comme émanant de cette source
radieuse.

(BIEN SÛR, CELA MARCHAIT !)

La seule erreur de sa technique de visualisation était *qu'elle ne savait pas se concentrer
sur un seul but à la fois.* Les effets en étaient
incessants, mais relativement réduits, encore
que satisfaisants pour son mode de vie. Puis,
un jour, elle apprit *qu'elle allait devoir quitter
son appartement,* car le vieil immeuble dans
lequel il était situé devait être démoli.

Elle ne s'affola pas : pour elle, le soleil
brillerait toujours ! Elle renonça provisoire-
ment aux petits « à-côtés » de sa Visualisation
Créatrice : billets de théâtre de faveur, coif-
feurs en vogue pour lesquels elle servait parfois
de modèle, tissus dégriffés, etc. Elle s'imagina
dans un autre appartement semblable au sien,
à un détail près : son vieil immeuble n'avait pas
d'ascenseur; ce n'était pas sa vétusté qui la

gênait mais elle était lasse de grimper les étages. Elle aurait bien aimé vivre au rez-de-chaussée et elle s'imagina que l'appartement de ses rêves lui était offert par un disque solaire aux rayons dotés de mains, comme dans les peintures égyptiennes. Elle se vit aussi en train de le décorer selon son goût car *le fait de marquer aussitôt un désir par quelque chose de personnel constitue un moyen particulièrement efficace de le revendiquer comme sien.*

Deux semaines environ après le début de la mise en œuvre de ce programme, une amie lui signala que le neveu de son mari arrivait de l'étranger pour poursuivre ses études et que le mari lui réservait un appartement dont il était propriétaire. Le jeune homme pourrait y habiter à condition de le « retaper » et de s'occuper de temps en temps de la chaudière. Annie comprit aussitôt que c'était exactement ce qu'elle recherchait mais, sachant que la corne d'abondance est ouverte à tous, ne tenta pas de prendre la place du jeune étudiant.

Et, une semaine plus tard, le mari de son amie lui demanda si elle était intéressée par l'appartement, aux mêmes conditions : le neveu, après un coup d'œil aux immenses pièces dont la peinture s'écaillait, avait préféré vivre dans une cité universitaire avec des jeunes de son âge.

Ce qui nous amène à un autre sujet sur lequel il convient d'attirer votre attention.

Tout est parfait si vous obtenez quelque chose grâce à la Visualisation Créatrice, en y mettant le prix que vous pouvez, soit en argent, soit par le travail. Mais s'il vous est demandé DAVANTAGE que ce que vous pouvez donner, refusez l'offre et poursuivez votre programme de Visualisation Créatrice : cette première réponse N'EST PAS POUR VOUS. Si vous avez visualisé un piano, par exemple, vous pouvez vous voir proposer de vieux pianos, des pianos neufs, des pianos coûtant plusieurs dizaines de milliers de francs et des pianos qu'on vous offre gratuitement – auxquels il manque bien des cordes – avant et après être tombé sur LE BON. C'est ainsi. On peut vous offrir un cadeau acceptable, ou vous pouvez décider de payer un prix raisonnable pour un article raisonnable. *C'est parfait dans les deux cas, c'est à vous de décider.*

Ce qu'il ne faut JAMAIS faire, en revanche, c'est proposer un prix, en argent ou en nature, DANS VOS ACTIVITÉS DE VISUALISATION CRÉATRICE. Votre esprit rationnel doit conserver le contrôle de la situation tout en permettant aux niveaux inconscients d'agir en votre nom; et tenter de conclure un marché ou de marchander avec les niveaux inconscients, c'est renoncer à une partie de ce contrôle. AYEZ FOI EN L'ABONDANCE DE L'UNIVERS.

CE QUE VOUS ÊTES PRÊT À DONNER, DONNEZ-LE LIBREMENT ET SANS REGRET.

Dans votre Programme de Développement Intérieur (et la Visualisation Créatrice est une forme de Développement Intérieur, le développement et l'utilisation de vos facultés cachées) ne dites JAMAIS le genre de sottise que l'on entend parfois : « Je donnerais N'IMPORTE QUOI pour... » Seule la peur peut provoquer un tel désir de marchandage, la crainte de voir nous échapper ce que nous désirons si nous n'offrons pas quelque chose en échange; mais cette impulsion n'est qu'un leurre.

Vous vous placez ainsi en position de FAIBLESSE et non en position de force. La seule position DE FORCE est la confiance totale dans le fait que, sans contrepartie et sans compromis, ce que vous souhaitez VOUS SERA DONNÉ parce que vous l'avez clairement imaginé et parce que vous conférez à cette image la PUISSANCE DE VOTRE MOI SUPÉRIEUR.

Bien des individus se heurtent à une barrière, celle de leur « conscience ». Consciemment ou inconsciemment, ils se disent qu'ils ne doivent pas avoir telle ou telle chose, car ils n'ont rien fait pour la mériter; ou, pis encore, ils pensent qu'ils ne la méritent pas du fait d'une faute ou d'une erreur passée. Ils pensent qu'ils devraient en être privés, être punis.

Cette idée de punition est tout à fait contraire à la vérité spirituelle. VOTRE MOI SUPÉRIEUR NE VA PAS ENQUÊTER SUR CE QUE VOUS MÉRITEZ !

Les concepts de récompense et de punition constituent des moyens commodes et parfois efficaces pour guider le comportement de l'homme dans le monde matériel. Les animaux domestiques peuvent, dans une certaine mesure, être également conditionnés pour y réagir. *Mais eux ne vont pas plus loin.* Bien sûr, nous avons une « conscience », mais elle fait partie du Moi Inférieur et non du Moi Supérieur. Elle est en grande partie conditionnée par ce que l'on nous a enseigné dès l'enfance ainsi que par les expériences personnelles et les observations de chacun.

C'est pourquoi notre conscience nous souffle des choses différentes. Votre conscience n'est *pas* « la voix de Dieu », elle ne possède pas le droit de vous punir. En revanche, la VRAIE « voix de Dieu » en vous – la Flamme Divine qui constitue votre Moi Supérieur – vous élèvera aussi haut que possible et se montrera généreuse SANS AUCUNE CONTREPARTIE.

Si vous avez causé du tort à quelqu'un, réparez-le matériellement ou spirituellement. MAIS CE DOIT ÊTRE FAIT DANS L'INTÉRÊT DE CETTE PERSONNE, SANS POUR AUTANT VOUS PRIVER DE QUELQUE CHOSE.

DEUX TORTS NE FONT JAMAIS UN BIEN.

AIMEZ-VOUS, PARDONNEZ-VOUS, LAISSEZ-VOUS VIVRE LIBREMENT !

Dans un document concernant l'Ordre Extérieur (et destiné à guider les jeunes membres de l'Ordre de la Parole Sacrée) publié dans le volume 1 de *La Philosophie Magique*, on trouve une autocritique d'ordre général que l'on peut reprendre ici :

« Jamais nous ne devons nous rabaisser, notamment par des expressions comme « Je suis orgueilleux, je suis paresseux, je suis de mauvaise foi ». L'essence de la vie de l'âme se trouve dans l'action et le mouvement et non en demeurant statique. Cela est également vrai des prétendues vertus. Si l'on a reconnu qu'un homme était juste, il ne sert à rien de dire qu'il a agi injustement aujourd'hui; mais s'il a agi injustement aujourd'hui, qu'on le laisse réparer en agissant justement demain. La pensée est action, à son niveau le plus subtil : elle est souvent plus efficace que l'action physique. »

L'autolimitation referme la porte sur le Moi Supérieur. Elle constitue, en outre, une parodie choquante du christianisme, religion dont le but initial était de libérer l'homme des fausses limitations. Mais nous avons déjà évoqué les véritables enseignements du christianisme au chapitre 4.

Personne ne peut prétendre ne jamais ressentir de CRAINTE, notamment lorsque quelque chose qui nous tient particulièrement à cœur ne se réalise toujours pas au niveau matériel de l'existence. Mais si nous parvenons, *pendant la durée de notre Visualisation Créatrice*, à oublier notre crainte, nous allons certainement retrouver une confiance nouvelle et durable. Pour cela, plusieurs aides précieuses s'offrent à nous : la Respiration Rythmique et la Relaxation Créatrice, mais aussi *la Puissance du Chant.*

Chantez dans votre cœur, si vous ne pouvez le faire à voix haute; non pour les autres, mais POUR VOUS. Le chant vous permettra d'accéder aux niveaux inconscients, par l'émotion.

On a appelé le roi Alfred (848-900) « Le Grand » pour d'autres raisons que sa guerre contre les Danois. Il entretint une correspondance avec le Patriarche de Jérusalem, envoya sans doute une mission en Inde, traduisit divers ouvrages didactiques du latin en anglais et étudia deux autres ouvrages (dont l'un nous est resté) qui le séduisaient particulièrement. Ce n'était certes pas par manque d'imagination qu'un homme aussi érudit devint un brave guerrier. Le secret de son courage est arrivé jusqu'à nous et voici comment nous pouvons le traduire en langage d'aujourd'hui :

SI LA CRAINTE VIENT À TON ESPRIT,
N'EN PARLE PAS À QUELQUE POLTRON.
CONFIE-LA AU POMMEAU DE TA SELLE
ET CONTINUE À CHEVAUCHER EN CHANTANT.

Contrôle

5

– Continuez vos exercices de Visualisation, de Relaxation et de Respiration Rythmique.

– Faites l'expérience de la Lumière qui pénètre Votre Moi Supérieur, et FAITES-LA CIRCULER !

– Ne précisez pas la source matérielle de ce que vous souhaitez dans votre Visualisation Créatrice : SOYEZ INTENSÉMENT CONSCIENT DE LA SOURCE SPIRITUELLE !

– N'entretenez pas la tension nerveuse (nocive) mais l'intensité émotionnelle (créatrice). RESPIREZ DE FAÇON RYTHMIQUE. RELAXEZ-VOUS, SOURIEZ !

– Ne cultivez pas les faux souhaits : GARDEZ CLAIREMENT PRÉSENTS À L'ESPRIT VOS VÉRITABLES BUTS !

– Ne marchandez pas avec le monde invisible – RECEVEZ LIBREMENT, ET DONNEZ LIBREMENT.

— Ne pensez jamais à la privation, à la punition. LE MOI SUPÉRIEUR SE CONTENTE D'AIMER ET DE DONNER !

— Si le doute ou la crainte vous troublent, ne les laissez pas devenir réels. N'EN DITES RIEN ET CHANTEZ VOS ESPOIRS !

POINTS D'ÉTUDE

6

La Visualisation Créatrice vous permet de PLANIFIER VOTRE VIE !

1. La satisfaction de chaque besoin spécifique vous aidera à franchir une nouvelle étape.

2. La planification « par étapes » vous permet d'atteindre plus facilement votre but.

3. La planification « par étapes » vous permet également d'obtenir des « effets secondaires » sans bouleverser le schéma d'évolution principal.

Révision du travail de base de toute Visualisation Créatrice :

1. Rêvez éveillé – plusieurs fois par jour.
Représentez-vous en train de goûter la joie que vous donnera ce que vous allez obtenir.

2. La Relaxation Créatrice – essentielle à une vie saine.
Neutralisez toute anxiété que vous pouvez ressentir au début d'un projet.

3. La Respiration Rythmique doit être partie intégrante de votre vie.

Travaillez avec ce rythme.

4. La Méthode de Visualisation Créatrice simple *(cf. chap. 3)* :

À inclure dès le début de chaque nouveau projet. Elle va être remplacée par la technique du Chargement (cf. ci-dessous)

5. Chantez votre objectif.

6. Ressentez la LUMIÈRE de votre Moi Supérieur *(cf. chap. 4)*

La technique du CHARGEMENT

1. Asseyez-vous, le dos bien droit, le corps bien équilibré.

2. Relaxez-vous.

3. Respirez de façon rythmique.

4. Visualisez votre objectif à l'intérieur d'un Cercle Blanc.

5. Laissez pénétrer en vous la Lumière de votre Moi Supérieur.

6. Représentez-vous l'objet irradiant cette Lumière tandis que diminue votre propre rayonnement.

7. Chargez-le de mots.

8. Laissez l'image chargée s'estomper de votre vision.

La Méthode Principale de Visualisation Créatrice combine le Travail de Fondation et la Technique du Chargement.

La Méthode Principale peut être étoffée par d'autres techniques telles que :

1. La bougie allumée,

2. Le travail sur la Sphère Planétaire,

utilisées comme procédés destinés à unir les les niveaux inférieurs du psychisme.

La Technique du Chargement peut être utilisée en association avec les Techniques Divinatoires simples, en sens inverse, pour créer la condition souhaitée.

Les étapes de la réussite

6

La Visualisation Créatrice, outre les bienfaits que vous en retirez directement, entraîne des « effets secondaires » également salutaires. (Ce qui est caractéristique de toute véritable forme de développement intérieur; lorsque vous la pratiquez correctement, comme nous allons vous le montrer, ce n'est pas seulement telle ou telle de vos facultés qui progresse, MAIS TOUT VOTRE ÊTRE.)

L'un des « effets secondaires » de la Visualisation Créatrice est L'OCCASION QUI VOUS EST OFFERTE DE PLANIFIER VOTRE VIE DE FAÇON CONSTRUCTIVE, POUR EN OBTENIR CE QUE *VOUS* VOULEZ.

Tout comme la Visualisation Créatrice quotidienne va contribuer à la réalisation de chacun de vos souhaits, CHAQUE SOUHAIT SPÉCIFIQUE va, à son tour, vous rapprocher par étapes de vos VÉRITABLES buts.

Peut-être ne parviendrez-vous pas à prévoir plus d'une étape à la fois, et il est préférable, dans ces conditions, que votre plan ne soit pas trop rigoureux et puisse évoluer. Il n'en reste pas moins que vous serez capable de continuer à planifier tout en progressant, et c'est ce qui, grâce à la Visualisation Créatrice, va faire de cette structure VOTRE PROPRE structure.

Vue sous cet angle, cette structure ressemble fort à un escalier que vous construisez; chacune des marches, une fois achevée, vous fait PROGRESSER d'un pas vers votre but principal.

Prenons, à titre d'exemple, deux variantes du thème de « maison et voiture » :

1. Maison
2. Atelier dans la maison
3. Livres sur le mobilier ancien
4. Fourgonnette
5. Achat de meubles anciens
6. Restauration
7. Vente d'antiquités restaurées
8. Carrière dans les antiquités

1. Emploi stable
2. Voiture
3. Travail plus intéressant, avec voiture
4. Maison
5. Studio photo, chambre noire
6. Photo comme passe-temps
7. Carrière de photographe

Ceci ne signifie nullement que tous vos programmes de Visualisation Créatrice doivent être uniquement pratiques. Les exemples de planification ci-dessus paraissent rigoureux et pratiques du fait que nous n'avons montré que leur cadre essentiel : les étapes s'enchaînent pour constituer progressivement une unité. Nous n'avons pas montré le bateau que le premier des deux hommes a visualisé – et obtenu – pour ses enfants, pas plus que nous n'avons mentionné le projecteur dans la maison du second. Il vous sera PLUS FACILE d'obtenir ces choses, sans bouleverser votre ligne de conduite principale, QUAND VOUS SEREZ FAMILIARISÉ avec la Visualisation Créatrice, qu'en recourant à « une voie séparée » lors des premières étapes de votre pratique.

Quoi que vous visualisiez sur l'instant, vous pouvez conserver l'objectif de votre « marche finale » – ou un symbole qui la représente à vos yeux – pour caractériser l'ensemble des étapes et conserver cet objectif présent à l'esprit. Cela vous permettra également de prendre des décisions fermes si apparaissent d'autres moyens de progresser; NE SOYEZ PAS L'ESCLAVE d'un plan rigoureux; *d'autres solutions peuvent se révéler meilleures ou plus rapides*, mais ASSUREZ-VOUS que la nouvelle voie vous mène bien où vous désirez aller !

Nous souhaitons souligner ici que dans le schéma de progression de la Visualisation Créatrice, les premières étapes VOUS RENDENT PLUS FACILE l'accession aux étapes suivantes.

Cette évolution par étapes vers le succès est tellement connue qu'elle en est devenue proverbiale :

LE SUCCÈS ENGENDRE LE SUCCÈS.

On peut également citer la *Parabole des Talents* dans Matthieu, ch. XXV, versets 14 à 30, et en particulier le verset 29 : *Car on donnera à celui qui a, et il sera dans l'abondance, mais à celui qui n'a pas on ôtera même ce qu'il a.* Gardez à l'esprit que les écrits parfois impitoyables de la Bible ou de l'Ancien Testament, tels que *les péchés des pères retombent sur les fils,* ne doivent PAS être pris comme des *décrets divins* : ce sont seulement des constatations de faits quotidiens qu'on peut faire évoluer à l'aide de résolution et de volonté.

Dans l'acquisition de la réussite, grâce à la Visualisation Créatrice, notez :

1. Que votre confiance en votre Visualisation Créatrice grandit dès que vous en retirez un *véritable gain.* Par la même occasion, votre imagination et vos niveaux inconscients vont se *libérer* de toute image des échecs passés.

2. Vous deviendrez ainsi plus COURAGEUX et plus GÉNÉREUX : généreux non seulement par ce que vous *donnerez* mais aussi par ce que vous *espérerez* et *imaginerez* dans tous les domaines de votre vie intérieure. Il est vrai que les espoirs limités, les vues étroites, les jugements mesquins engendrent des *craintes*. SORTEZ DONC DE VOTRE COQUILLE POUR VOUS EXPOSER EN PLEINE LUMIÈRE !

3. Votre confiance en la réussite touchera les autres. *Tant que vous n'essaierez pas de*

leur expliquer ce processus, et tant que vous ne les rendrez pas jaloux ou vindicatifs, ils seront ravis de vous aider à atteindre d'autres succès.

VOTRE SUCCÈS EST LEUR RÊVE ÉVEILLÉ, et c'est ainsi que, sans même s'en rendre compte, les autres vont visualiser créativement D'AUTRES succès pour vous !

Tout le monde adore les « histoires de succès » — le succès du héros (ou de l'héroïne) est en quelque sorte perçu comme LE PROPRE SUCCÈS du lecteur !

4. Et, à cet égard, ils ont TOUT À FAIT RAISON. EFFECTIVEMENT, vous les aidez – de la même façon que nous avons tous été influencés par les mythes, les légendes et les contes : le fils cadet qui devient le plus fortuné de la famille, Cendrillon qui épouse le Prince Charmant... – mais les autres se sentent bien davantage aidés quand cela se produit DANS LA RÉALITÉ.

Ainsi, quand ils voient le niveau archétype déverser la corne d'abondance de l'univers À VOTRE PROFIT, et qu'ils ont le sentiment qu'ils peuvent *s'identifier à vous*, ils apprennent *à espérer la même abondance pour eux-mêmes* ! Sans le savoir, *ils vont commencer à faire de la Visualisation Créatrice pour eux-mêmes*, DE FAÇON EFFICACE. (Souvenez-vous que, au début de cet ouvrage, nous avons montré comment toutes sortes de personnes font de la Visualisation Créatrice, consciemment ou inconsciemment, et certaines DE FAÇON POSITIVE – en visualisant ce qu'elles DÉSIRENT – tandis que d'autres le font MAL parce qu'elles se créent des images de ce qu'elles ne désirent PAS, de ce qu'elles CRAIGNENT.

5. Il est excellent d'aider les autres à faire de la Visualisation Créatrice positive. En effet, ils vont, à leur tour, comprendre la libre circulation de l'abondance de l'univers, s'ouvrir dans leurs attitudes face à la vie, devenir *plus généreux* et ACCROÎTRE la circulation des biens matériels et spirituels *bien plus que vous ne pourriez le faire à vous seul* ! (Et n'oubliez pas que les biens matériels et spirituels constituent tous des FORMES D'ÉNERGIE.) Ainsi, CHACUN Y TROUVERA UNE VIE PLUS PLEINE, UNE VIE MEILLEURE !

Mais il est maintenant temps de revenir sur certains aspects de la Visualisation Créatrice que vous pouvez avoir besoin de pratiquer avec exactitude et précision.

Supposons que vous avez un projet en cours dans votre Visualisation Créatrice. Si vous êtes débutant, il vous a fallu progresser au fur et à mesure des différentes étapes; mais si vous avez déjà terminé un projet de Visualisation Créatrice et souhaitez passer à un nouvel objectif, peut-être vous demandez-vous ce qu'il vous faut conserver des chapitres précédents. Quoi qu'il en soit, il est maintenant nécessaire de revoir ce qui a été dit précédemment.

a) *Tout nouveau projet de Visualisation Créatrice doit commencer par le stade du « rêve éveillé »*. Quelle que soit votre expérience en la matière, ne négligez pas ce premier stade destiné à « nourrir » le projet et à mettre en œuvre vos motivations émotionnelles. Représentez-vous en train de GOÛTER LA JOIE de ce que vous allez obtenir par la visualisation. Le rêve éveillé doit terminer votre journée; vous devez également rêver après le déjeuner, dans votre bain, où vous voulez, sous réserve de rendre ce rêve RÉEL, même s'il s'agit là de votre énième visualisation couronnée de succès !

b) *Le Programme de Relaxation Créatrice* est là pour vous aider. Vous trouverez, plus loin, d'autres programmes de Relaxation Créatrice; tant que vous n'avez pas adopté l'un de ces programmes, la fréquence de votre Relaxation Créatrice est laissée à votre appréciation. Il est cependant vivement recommandé de combattre l'anxiété que l'on ressent souvent à ces premiers stades d'un projet de Visualisation Créatrice.

c) Nous avons sans doute déjà suffisamment évoqué la *Respiration Rythmique* pour que vous soyez convaincu que le recours continu à cette technique est indépendant de tel ou tel programme. *La Respiration Rythmique* demeure précieuse et utile à vos progrès futurs en matière de Visualisation Créatrice.

d) *La méthode de Visualisation Créatrice simple* indiquée au chapitre 3 est l'une des étapes par lesquelles doit passer chacun de vos nouveaux projets. Elle devra toujours être abandonnée quand vous commencerez à pratiquer la Technique du Chargement que l'on va aborder dans ce chapitre. Mais, tout comme pour le « rêve éveillé », il n'y a aucune raison de ne pas y recourir de temps à autre pour vous stimuler.

e) Vous pouvez *chanter votre objectif* à tout

instant du programme. Fredonnez, chantonnez ou murmurez la chanson secrète de vos désirs chaque fois que l'occasion se présente.

f) Il est tout à fait indispensable aux débutants de *faire l'expérience de la Lumière du Moi Supérieur* comme préliminaire à la Technique du Chargement qui va suivre. Vous pouvez et devez y prendre plaisir pour votre paix intérieure. ELLE FAIT PARTIE DE VOTRE VIE !

(*Les paragraphes* a *à* f *ci-dessus sont la base du « Travail de Fondation ».*)

La Technique du Chargement

Votre objectif de Visualisation Créatrice est maintenant clair et bien défini. Il faut à présent faire de votre projet une des marches de l'escalier de votre SUCCÈS, qu'il s'agisse d'affaires, de santé ou de plaisir.

Asseyez-vous, le dos bien droit, les pieds joints, les mains reposant sur les cuisses. Fermez les yeux.

Détendez-vous, en conservant le dos droit et une bonne position.

Commencez et poursuivez la Respiration Rythmique.

Visualisez votre objectif.

Il faut maintenant avoir la certitude d'insuffler à cet objectif visualisé la puissance de votre Moi Supérieur. CELA EST PARTICULIÈREMENT IMPORTANT POUR OBTENIR DES EFFETS RÉELS ET DURABLES DANS LE MONDE MATÉRIEL. Il vous faut donc :

a) Visualiser votre objectif comme *contenu dans un cercle blanc* (non pas un cercle étincelant ou brillant, mais un simple cercle blanc contenant TOTALEMENT l'objectif visualisé, qu'il s'agisse d'un objet unique, de plusieurs objets, d'une scène ou d'une image de vous-même ou de quelqu'un d'autre).

b) Maintenant, laissez-vous pénétrer par la Lumière de votre Moi Supérieur selon l'une des deux méthodes indiquées à la fin du chapitre 4. Sentez cette lumière blanche et cette tiédeur rayonnante qui imprègnent votre corps et vous entourent. Peut-être ne sera-t-il pas facile d'y parvenir, au début, sans « perdre » votre image visualisée dans le cercle, mais PLUS VOUS VOUS SEREZ APPLIQUÉ À VOUS EMPLIR DE CETTE LUMIÈRE, plus il vous sera facile d'y parvenir.

Une fois baigné de la Lumière de votre Moi Supérieur, *transférez cette lumière à l'objet que vous visualisez.* Commencez par mettre une certaine distance entre l'image visualisée et vous, en la laissant comme suspendue en l'air. Ce retrait peut d'abord se traduire par un léger mouvement du corps; bientôt vous prendrez l'habitude de le faire également en imagination. Vous devez voir l'objet visualisé devenir de plus en plus brillant tandis que vous devenez de moins en moins conscient du rayonnement à l'intérieur de vous-même. L'image, toujours distinctement visualisée, rayonne maintenant de lumière scintillante, *mais le rayonnement ne s'étend pas au-delà du cercle blanc que vous avez visualisé autour d'elle.* Vous chargez la seule image que vous avez formée dans ce but et rien d'autre. Pendant ce temps, *prononcez les mots suivants* :

AVEC LA LUMIÈRE DE MON MOI SUPÉRIEUR, JE CHARGE CETTE IMAGE, AFIN QU'ELLE DEVIENNE RÉELLE POUR MOI DANS LE MONDE MATÉRIEL.

Conservez un bref instant l'image emplie de lumière en visualisation dans son cercle. (Quelques Respirations Rythmiques suffisent pour une activité « intérieure » de cette nature; seule l'expérience vous fera découvrir l'efficacité d'une action de concentration.) *Ensuite, laissez-la s'estomper doucement.*

Continuez la Respiration Rythmique quelques instants encore après la disparition complète de l'image, puis reprenez doucement conscience du monde extérieur.

C'EST LÀ LA MANIÈRE SUPRÊMEMENT PUISSANTE DE RENDRE RÉEL CE QUE VOUS VISUALISEZ. Méditez cela un instant.

Nous venons de vous dire de :

Vous pénétrer de la Lumière de votre Moi Supérieur,

Stimuler avec cette lumière votre objectif visualisé et enfermé dans un cercle.

Cette manière de procéder constitue depuis des siècles, en Orient comme en Occident, un important secret soigneusement gardé par divers cultes et qui n'a été révélé qu'à travers *un langage ésotérique.* On a souvent qualifié ces secrets de « magico-religieux ». Nous préférons les appeler plus simplement PSYCHOSOPHIQUES car ils procèdent d'une compréhension profonde du psychisme et de sa sagesse inhérente.

Au cours des siècles, l'homme a toujours été fasciné par la réussite de certains « faiseurs de miracles » qui agissaient « AU NOM DE... ». certaines personnes – notamment les Kabbalistes – ont consacré leur vie à tenter de découvrir le *Nom* qu'il fallait prononcer pour obtenir le pouvoir de réussir. Évidemment, ce « Au nom de... » n'est qu'une expression dont le sens exact est « PAR LA PUISSANCE DE... » et le « nom » est celui qu'il VOUS plaira de choisir, et dont LA LUMIÈRE DOIT VOUS EMPLIR, le Moi Supérieur, la Flamme Divine.

C'EST CELUI QUI PEUT DÉPLACER LES MONTAGNES !

Lorsque vous serez devenu parfaitement compétent dans l'utilisation de cette méthode de Visualisation Créatrice, RIEN ne pourra vous résister.

Voyez ce que dit Luc (ch. XI, versets 34 à 36) :

Ton œil est la lumière de ton corps. Lorsque ton œil est en bon état, tout ton corps est éclairé; mais lorsque ton œil est en mauvais état, ton corps est dans les ténèbres... Si donc tout ton corps est éclairé, n'ayant aucune partie dans les ténèbres, il sera entièrement éclairé, comme lorsque la lampe t'éclaire de sa lumière.

Voyez maintenant ces paroles de Pey de Mylapore (Madras), l'un des saints musiciens du Moyen Âge dont les hymnes sont encore de nos jours populaires parmi les hindous :

Éclairant dans mon cœur la lampe radieuse de la connaissance, je L'ai cherché et capturé :

doucement, LE SEIGNEUR DES MIRACLES *est entré dans mon cœur et y est demeuré pour ne plus en partir.*

Voyez également ce que dit le Dr O. Carl Simonton, dans le remarquable article écrit par lui-même et Stephanie Matthews-Simonton dans le *Journal de la Psychologie Transpersonnelle,* n° 1 (1975), intitulé « Systèmes de Croyances et Traitement des Aspects Émotionnels de la Malignité » :

Je n'ai trouvé aucun patient (ayant montré des rémissions spontanées de symptômes du cancer, ou de bonnes réactions inattendues) *qui ne se livrait pas à un tel processus de visualisation. Peut-être s'agit-il d'un processus spirituel. De Dieu qui les guérit, sur l'ensemble du spectre. Mais l'important c'est* CE QU'ILS SE SONT REPRÉSENTÉ ET LA MANIÈRE DONT ILS ONT VU LES CHOSES. ILS ÉTAIENT POSITIFS, QUELLE QUE FÛT LA SOURCE, ET LEUR IMAGE ÉTAIT TRÈS POSITIVE.

En conservant à l'esprit que la Lumière dont il convient de charger l'image visualisée est à la fois « Puissance et Force de Vie » et « Amour et Bénédiction », on se rend compte toutefois qu'un néophyte, qui insuffle à l'image une seule de ces formes de la Lumière, peut réussir dans sa tentative. L'histoire vraie qui suit est tirée du volume 3 de *La Philosophie Magique* :

« Une mère était inquiète parce que son fils faisait de l'alpinisme. Elle avait réussi à dominer sa peur, mais une nuit, elle fit un rêve particulièrement effrayant; elle vit son fils lutter pour recouvrer son équilibre sur une arête étroite, pour finalement tomber. Lorsqu'elle s'éveilla, elle resta hantée par cette image; elle revivait sans cesse ce cauchemar et était persuadée qu'il s'agissait d'un rêve prémonitoire. Lorsque le rêve revint, elle ne tenta pas de le chasser mais l'accepta et, avec un grand courage, regarda la première phase de l'événement se dérouler dans son imagination. Et, à l'instant critique, elle mobilisa toute sa volonté pour en modifier la suite : elle visualisa son fils qui retrouvait son équilibre et évitait la chute.

Chaque fois que lui revenait l'image mentale, elle faisait l'effort de la modifier ainsi, jusqu'à y parvenir complètement et faire disparaître la vision d'horreur.

Puis, quelque temps plus tard, son fils revint de vacances et lui raconta comment il avait échappé de justesse à ce qui avait bien failli être un accident fatal. Il avait atteint une corniche, exactement comme elle l'avait vu en rêve, il avait perdu l'équilibre en faisant confiance à une roche peu sûre et avait bien cru qu'il allait tomber dans le précipice; puis une puissante rafale de vent s'était élevée vers lui, LUI APPORTANT L'AIDE DONT IL AVAIT BESOIN POUR SE REDRESSER ET CONTRÔLER LA SITUATION. »

Tout événement terrestre possède son équivalent astral que, dans certaines circonstances, on peut percevoir avant qu'il ne se produise. Cette mère, avec une immense (bien qu'inconsciente) perception intérieure, avait d'abord CHANGÉ l'image astrale en créant visuellement sa propre version de l'événement, puis, par le puissant courant de son amour (par un rayon projeté dans le psychisme avec la force de son amour maternel divin), elle avait conféré STABILITÉ ET RÉALITÉ MATÉRIELLE À SA VISUALISATION.

Ces divers textes et exemples devraient nous permettre d'appréhender le sujet. Lorsque vous pratiquez cette importante technique, ne manquez pas :

– de *visualiser* clairement l'objectif à atteindre,

– de *l'enfermer* dans un cercle visualisé,

– de le *charger* de la Lumière de votre Moi Supérieur;

sans oublier une bonne position, une bonne relaxation et la Respiration Rythmique, ainsi que nous vous l'avons expliqué. *Même si vous vous livrez à deux ou trois séances de Visualisation Créatrice par jour, n'utilisez la Technique du Chargement qu'une seule fois par jour*, mais persévérez jusqu'à ce que vous ayez atteint votre objectif. N'oubliez pas de continuer le « Travail de Fondation », et une fois votre objectif atteint, remerciez votre Moi Supérieur.

ON APPELLE *MÉTHODE PRINCIPALE DE VISUALISATION CRÉATRICE* CELLE QUI CONSISTE À MENER À BIEN LA VISUALISATION CRÉATRICE PAR LE TRAVAIL DE FONDATION ET À LA COMPLÉTER PAR LA TECHNIQUE DU CHARGEMENT.

Il est facile d'adapter cette méthode à la plupart des buts. Vous pouvez, par exemple, souhaiter l'utiliser *pour guérir une autre personne qui se trouve loin de vous*.

La « Guérison à distance » consiste souvent

à envoyer simplement une « charge » d'énergie supplémentaire, ou force de vie, à la personne concernée, tout en affirmant qu'elle doit guérir. Cette méthode peut l'aider à retrouver ses forces naturelles, à renouveler son potentiel énergétique en la libérant des obstacles dus à la faiblesse, à l'état de choc ou à une attitude négative.

IL EST TOUJOURS LOUABLE ET GRATIFIANT DE CONTRIBUER À CE RENOUVEAU.

Il existe différents moyens de pratiquer la « Guérison à Distance ». Certains individus qui ne parviennent pas à visualiser, ou qui n'ont pas connaissance de la technique, se bornent à entreprendre la Respiration Rythmique, s'emplissent de la Lumière du Moi Supérieur (quel que soit le nom retenu) puis *l'envoient*, par l'intermédiaire des mains et des doigts, dans la direction de celui qui doit la recevoir. Cette méthode peut, effectivement, se révéler efficace.

Cependant, pour obtenir des résultats efficaces et durables, il convient, en pratiquant la Respiration Rythmique, *de formuler une image* de l'intéressé (en le visualisant en bonne santé, heureux et souriant) et de *placer un cercle autour de cette image; chargez-la ensuite de la Lumière de votre Moi Supérieur* tout en la conservant constamment dans la Puissance, l'Amour et les bienfaits de la Lumière avant de l'envoyer finalement, par une impulsion intérieure, en direction de l'intéressé, sans changer de position et en continuant la Respiration Rythmique jusqu'à ce que l'image ait disparu de la visualisation.

Si, pour ce type d'action, vous utilisez une photo de la personne pour vous aider à visualiser, N'OUBLIEZ PAS DE FERMER LES YEUX quand vous en arrivez à la visualisation effective : *c'est votre image visualisée* qui doit être chargée, *non la photo* !

Si vous utilisez cette méthode au profit d'une personne souffrant d'une affection localisée (une otite, ou une jambe cassée, par exemple) vous pouvez visualiser tout particulièrement la partie atteinte. Veillez cependant à bien voir CETTE PARTIE DU CORPS COMPLÈTEMENT GUÉRIE ET DANS SON INTÉGRALITÉ, puis passez à l'image DE LA PERSONNE TOUT ENTIÈRE, en bonne santé et heureuse, avant de conclure. (Pour une fracture de la jambe, vous pouvez vous représenter la personne en train de marcher ou de courir; ou, en cas d'otite, en train d'écouter de la musique, etc.)

Même lorsque la personne est dans la même pièce que vous, cette technique peut se révéler très efficace quand il s'agit d'une affection d'un organe interne. (Bien entendu, à moins de posséder également un don de seconde vue, il est souhaitable d'avoir quelques notions d'anatomie.)

Quel que soit le but de votre action, pour vous-même ou pour autrui, et bien que L'ACTIVITÉ DE VOTRE MOI SUPÉRIEUR SOIT EN ELLE-MÊME PARFAITE, *vous devez* (en cela comme en tout) *fonctionner comme une entité complète.* Aussi, tout moyen que vous pourrez utiliser pour amener votre Moi Inférieur en parfait accord avec l'action de votre Moi Supérieur est-il *bon.* Il existe diverses façons d'y parvenir.

Il nous faut mentionner dans cette catégorie les méthodes traditionnelles de *discipline de vie* qui, à long terme, ont tant de choses à offrir à l'homme résolu à développer ses facultés intérieures. Il ne s'agit pas, ici, de « pénitence » ou d'une quelconque « glorification de la souffrance », pas plus que de telles considérations ne figurent dans la discipline des champions olympiques. Une alimentation sobre mais équilibrée (de préférence végétarienne), la pratique quotidienne de l'exercice physique, celle des facultés du psychisme, un contact fréquent avec la nature, ainsi que le refus de ce qui peut nuire à l'énergie personnelle, constituent la base d'un tel mode de vie. À long terme, il peut accomplir des merveilles, même pour ceux qui, au départ, ne possèdent pas d'aptitudes particulières.

Mais pour ceux qui ne souhaitent pas « s'engager » dans un tel programme et qui considèrent le développement des facultés intérieures comme faisant simplement partie de la vie, il existe des moyens plus directs d'accorder l'Inconscient Inférieur avec un projet de Visualisation Créatrice.

La Méthode Principale, c'est-à-dire la Technique du Chargement associée à un bon Travail de Fondation tels qu'ils vous ont été indiqués, permet à CHACUN *d'être efficace, à condition de* PERSÉVÉRER.

Les méthodes que nous vous proposons ci-dessous, pour combiner la Technique du Chargement à d'autres pratiques, vous aideront à créer une situation à laquelle vos niveaux émotionnel et inconscient inférieur doivent réagir. *Les méthodes indiquées dans cette page nécessitent l'application de toute la Méthode Principale*; c'est-à-dire que vous devez passer par le Travail de Fondation comme préparation à la Technique du Chargement.

Si vous avez déjà recours à une autre méthode pour créer des conditions physiques spéciales (comme la bougie allumée ou la sphère planétaire), méthode dont vous avez le sentiment qu'elle a déjà tissé un lien réel avec les niveaux profonds de votre psychisme, c'est là quelque chose que vous pourrez *tout particulièrement* utiliser en association avec la Méthode Principale de Visualisation Créatrice. Ne tentez pas de guider votre Moi Supérieur ni de remplacer son pouvoir; ces méthodes agissent par le truchement d'associations d'idées et d'émotions uniquement sur les niveaux inférieurs et profonds; vous allez utiliser un « langage » que ces niveaux comprennent déjà.

Si vous êtes habitué à la bougie allumée, vous pouvez faire brûler les bougies adaptées au résultat recherché pendant vos séances de Technique de Chargement : prospérité, amour, etc. Si vous êtes habitué au travail planétaire, vous pouvez utiliser la couleur et l'encens qui conviennent pour les sphères correspondant à votre objectif : Mercure pour les voyages, Mars pour la justice, Jupiter pour l'abondance, etc.

Si vous êtes parfaitement habitué à une méthode divinatoire (et lorsque vous serez suffisamment expérimenté, également, en matière de Technique de Chargement), vous pourrez vous livrer à un type d'action extrêmement intéressante, *même sans passer, pour cette opération particulière, par le Travail de Fondation.* (Il faut parfois savoir agir vite !) MAIS CETTE MÉTHODE EST SI PUISSANTE QU'IL CONVIENT DE VOUS METTRE EN GARDE. VOUS DEVEZ ÊTRE CERTAIN, AVANT D'Y RECOURIR, QUE LES DÉTAILS DE CE QUE VOUS AVEZ L'INTENTION D'UTILISER SONT BIEN DESTINÉS À PRODUIRE *LE SEUL EFFET SOUHAITÉ* !

La raison de cette mise en garde est que certains processus de divination – *notamment ceux du Y King, de la géomancie et des tarots* – sont assez puissants pour provoquer, non seulement à l'intérieur de votre psychisme mais également dans le Monde Astral au sens large du terme, LES CONDITIONS QU'ILS REPRÉSENTENT.

Il vous faudra donc avoir recours à la Lumière de votre Moi Supérieur pour activer et confirmer une image extrêmement puissante.

La raison pour laquelle ces procédés divinatoires peuvent agir « à l'envers », si l'on peut dire, et peuvent non seulement *révéler* une condition existante, mais aussi *provoquer* une condition, est très simple quand on se souvient du rapport entre le Monde Astral et nos émotions et nos instincts.

Voyez l'histoire suivante : deux acteurs entrent en scène. Le premier provoque le second. Celui-ci va-t-il réagir ? Il redresse les épaules, raidit les genoux, gonfle la poitrine. Vous savez qu'il ne va PAS tolérer l'affront.

Et maintenant : acceptez-vous parfois de vous « faire tout petit », pour le regretter ensuite, avec le sentiment que vous auriez dû protester ? Si c'est le cas, essayez la méthode suivante la prochaine fois ! (Si cela ne vous arrive *jamais*, vous allez certainement reconnaître votre attitude habituelle dans ce qui suit.)

Campez-vous bien sur vos jambes, raidissez les genoux, respirez profondément, gonflez la poitrine, redressez les épaules, pressez les coudes contre vos côtes pour contracter vos biceps. Et maintenant, *avez-vous l'impression d'être docile ?*

De même, dans le monde du symbole, ce qui peut *représenter* un état peut aussi *provoquer* le même état. D'ordinaire, certes, un état ainsi provoqué ne sera qu'éphémère, MAIS PAS QUAND IL ÉMANE DE LA LUMIÈRE DU MOI SUPÉRIEUR ! D'où la nécessité de cette mise en garde.

Prenons un exemple de l'utilisation efficace d'un symbole tiré du Y King, le *Livre des Changements*. Non seulement les soixante-quatre « hexagrammes » (figures à six lignes) du Y King représentent les fluctuations permanentes de la force de vie telles que les percevait l'ancienne sagesse chinoise du Tao, mais également, tel qu'utilisé dans la divination, l'hexagramme « tiré » va représenter une réponse à une question posée par quelqu'un à un moment particulier. L'hexagramme présente certains aspects de la question à la lumière de l'ancienne sagesse taoïste chinoise et, souvent, une ou plusieurs des lignes de l'hexagramme seront perçues comme porteuses d'un « message » spécifique.

Or ce sont précisément ces lignes de « message » qui seront perçues comme étant sur le point de changer et par conséquent de produire l'hexagramme suivant; il est donc également souhaitable de jeter un regard sur cet autre hexagramme pour interpréter la situation.

Supposons maintenant qu'une femme soit gravement malade et qu'un homme familiarisé avec le Y King décide d'avoir recours à la Visualisation Créatrice pour la guérir. En feuilletant le Livre des Changements, il trouve de nombreux passages relatifs à l'heureux aboutissement de tel ou tel moyen. Mais la plupart, dans leur sens littéral ou leur interprétation traditionnelle, semblent s'appliquer à d'autres types de situation.

Il se décide finalement pour l'hexagramme 34, celui du TA KWANG, *Le Pouvoir du Grand* ou *Le Symbole de la Grande Vigueur.* Son image est celle de l'énergie du tonnerre agissant en harmonie avec l'énergie de croissance du paradis au printemps. Ce qui paraît donc de bon augure.

En considérant chacune des lignes de l'hexagramme, l'homme en remarque une – la quatrième – qui est porteuse d'un sens convenant parfaitement à son but. *La bonne décision engendre la chance. La cause du regret disparaît. La barrière tombe, sans plus d'opposition; la force que l'on a appliquée a agi comme le timon d'un puissant chariot.*

En lisant cela, l'homme a le sentiment que la Lumière de son Moi Supérieur va effectivement entraîner, par sa puissance invisible, la guérison de la femme.

Avant de commencer, toutefois, il regarde ce qui va se produire quand la ligne en cause va changer, car elle doit changer, une fois son œuvre accompli.

Effectivement, il s'agit du passage de l'hexagramme 34 à l'hexagramme 11, l'hexagramme du T'AI, de l'*Harmonie* qui représente les pouvoirs du ciel et de la terre agissant conjointement, le spirituel à l'intérieur du matériel, pour en arriver à la croissance naturelle et la prospérité. Notre ami ne va pas *visualiser* cet autre hexagramme, mais il est utile de savoir qu'il représente l'aboutissement naturel de l'action qu'il va entreprendre. Il peut, avec son expérience du Y King et de son harmonie avec les forces de vie, agir en toute quiétude.

Pendant un certain temps, donc, il contemple l'hexagramme 34, en pensant tout spécialement à la quatrième ligne, à son pouvoir spirituel et à son action depuis l'intérieur de l'hexagramme pour appliquer le levier « caché ». Après quoi il ferme les yeux et visualise l'hexagramme. Il le visualise au-dessus de la tête de la femme. Il enferme l'ensemble – l'hexagramme et la tête de la femme – dans un cercle blanc. L'hexagramme a maintenant sa « ligne d'évolution » marquée de manière traditionnelle. La femme est heureuse et en bonne santé. Lui-même s'emplit de la Lumière de son Moi Intérieur puis visualise cette lumière qui emplit toute l'image à l'intérieur du cercle (la femme et l'hexagramme) tandis qu'elle quitte l'homme en s'estompant. La femme et l'hexagramme irradient la lumière qui emplit le cercle.

L'homme conserve cette image en visualisation pendant la durée de plusieurs Respirations Rythmiques; puis *l'envoie en direction de la femme*, en restant immobile jusqu'à ce qu'elle disparaisse.

Là encore, si une personne choisit un hexagramme pour elle seule, SEUL l'hexagramme, avec sa ou ses « lignes changeantes », devra être visualisé, enfermé dans un cercle et chargé. *Après quoi on le contemplera, puis on le laissera s'estomper et disparaître.*

Il n'y a pas grand-chose à dire quant au choix et à la Visualisation Créatrice de l'une des figures de la géomancie; on procède comme indiqué ci-dessus, selon qu'on agit pour soi-même ou pour quelqu'un d'autre. En revanche, l'utilisation des tarots est plus complexe.

Dans certains cas, on peut avoir la certitude, quand on est expert dans l'interprétation des tarots (notamment quand on connaît les principes astrologiques correspondants) que l'influence d'une seule carte, qu'il s'agisse du Grand Arcane ou du Petit Arcane, est « tout à fait ce qui convient » pour obtenir le résultat désiré, pour soi ou pour autrui. Dans ce cas, il suffit pour choisir la carte de penser à sa signification, puis de la visualiser au-dessus de la tête de l'intéressé. Après quoi, il convient de procéder comme indiqué pour l'hexagramme du Y King pour ce qui est de l'encerclement et du chargement par la Lumière du Moi Supérieur.

Dans la plupart des cas, cependant, il est conseillé d'utiliser plusieurs cartes du tarot plutôt qu'une seule.

Lorsqu'il s'agit de l'utilisation simultanée des tarots et de la Visualisation Créatrice, il n'est ni nécessaire ni souhaitable d'avoir recours à une séquence de cartes très élaborée. La « séquence de dix cartes » (bien connue sous plusieurs noms différents) est suffisante pour représenter la plupart des situations dans leur passé et leur présent, dans leurs aspects intérieur et extérieur, ainsi, bien sûr, que le résultat futur – qui, dans ce contexte, sera l'aboutissement *voulu*. L'avantage de cette séquence de cartes est que l'on peut utiliser des cartes des deux arcanes à la fois, ou du seul Grand Arcane, ou du Petit Arcane.

La meilleure approche consiste à évaluer ce que l'on veut faire par la Visualisation Créatrice puis de *choisir les cartes que l'on souhaiterait voir sortir si l'on se livrait à une lecture de cette situation*. Réfléchissez à cette situation, à l'interaction des différents éléments. Si vous avez une bonne expérience des tarots, vous n'aurez aucune difficulté à mémoriser une séquence de dix cartes.

Procédez maintenant comme indiqué pour les autres exemples. N'ESSAYEZ PAS DE VISUALISER CHAQUE DÉTAIL DES CARTES DE LA SÉQUENCE ! Vous savez ce qu'elles représentent et il ne peut y avoir aucun doute à cet égard. (Tout ce que vous avez pu voir ou connaître se trouve *là*, même si vous ne vous en souvenez pas consciemment.) L'image parfaite – et ses implications – de la séquence de cartes que vous venez de sortir et sur laquelle vous avez réfléchi est *là*, *juste en surface*, pour que vous l'utilisiez à votre gré. Si vous agissez pour vous-même, « voyez » seulement les cartes; si vous agissez pour une autre personne, « voyez-la » sous les cartes. Formez votre cercle et continuez votre Visualisation Créatrice comme indiqué plus haut.

Répétons-le : l'utilisation de méthodes divinatoires pour parvenir au résultat souhaité *est réservée à ceux qui sont déjà familiarisés avec ces méthodes*. Si vous désirez avoir recours au Y King, aux tarots, à la géomancie ou à toute autre méthode, il vous faut l'acquérir par les livres ou l'enseignement d'un professeur avant de pouvoir l'utiliser efficacement dans la Visualisation Créatrice. VOUS NE VOUS RISQUERIEZ PAS À REFAIRE UNE INSTALLATION ÉLECTRIQUE, N'EST-CE PAS ? IL EN EST DE MÊME DANS CE CAS. C'EST UNE SIMPLE QUESTION DE BON SENS !

Contrôle

6

– Prévoyez d'avancer par étapes dans votre Visualisation Créatrice, tout en conservant un objectif général.

– Pratiquez la Technique du Chargement exactement comme indiqué dans ce chapitre et continuez à vous y entraîner.

– Si vous souhaitez utiliser cette technique au profit d'une autre personne, visualisez-la bénéficiant déjà des bienfaits que vous souhaitez lui apporter. Ensuite, après avoir chargé et contemplé cette image heureuse, « envoyez-la », par un acte de volonté, à la personne concernée.

– Pour toute Visualisation Créatrice ayant recours à la Technique du Chargement, votre projet doit passer par le Travail de Fondation.

– Lorsque vous aurez commencé à utiliser la Technique du Chargement pour un projet de Visualisation Créatrice, pratiquez une fois par jour et *continuez* jusqu'à ce que votre objectif soit atteint.

– Si vous avez une préférence pour une méthode de divination, essayez de l'utiliser dans la Visualisation Créatrice comme décrit au présent chapitre. *Inutile, pour cela, de passer par les stades préliminaires du Travail de Fondation, mais il convient de continuer régulièrement à vous pénétrer de la Lumière de votre Moi Supérieur.*

– Notez tout spécialement votre premier succès dans le domaine de la Visualisation Créatrice. Pensez-y, et puisez-y une plus grande confiance.

POINTS D'ÉTUDE

7

Votre Moi Conscient n'est pas seul ! Votre Moi Supérieur va répondre à votre invocation. Il est inutile de devenir une « victime du hasard » – l'univers est plein d'énergie inutilisée et vous pouvez orienter ses lois vers la satisfaction de vos besoins et de vos désirs.

Si le monde dans lequel nous vivons semble dualiste (le haut et le bas, la lumière et l'obscurité, soi et autrui), il est possible d'entrer en contact avec l'Unité des Forces Supérieures et d'arrêter le « mouvement de pendule » de sorte que ce qui arrive À L'INTÉRIEUR n'ait pas à s'échapper À L'EXTÉRIEUR.

La Technique de l'Étoile constitue un excellent début car elle vous offre les possibilités initiales à utiliser comme étapes dans la Méthode Principale.

La Méthode de la Multiplication fait appel à la puissance, au pouvoir du Moi Supérieur pour augmenter ce que l'on possède déjà.

Les branches de l'Étoile et la Multiplication

7

Dans le chapitre précédent, on vous a enseigné la Méthode Principale de Visualisation Créatrice. Cette méthode implique également un « acte de foi » de votre Moi Supérieur, et peut-être avez-vous aussi compris que c'était bien la VOIE DIRECTE que vous recherchiez. Ou peut-être vous demandez-vous : « Cette méthode me conviendra-t-elle ? »

ELLE VOUS CONVIENDRA, SOYEZ EN CERTAIN ! Lorsque vous escaladez une colline, vous avez parfois envie de faire un petit détour avant d'emprunter la route directe. De même souhaiterez-vous peut-être commencer par des enjeux moins importants, simplement pour vous prouver que votre Visualisation Créatrice n'est pas une simple illusion.

FAITES-LE, SI C'EST LÀ VOTRE SENTIMENT.

DÈS QUE VOUS LE VOUDREZ, VOUS POURREZ VOUS REPRÉSENTER CE QUE VOUS SOUHAITEZ OBTENIR, vous pourrez VOUS PROUVER qu'il existe VRAIMENT une force invisible qui EXAUCERA VOTRE SOUHAIT !

Dans ce chapitre vont vous être donnés

deux moyens de charger un objectif visualisé, moyens qui ont été ESSAYÉS par un très grand nombre d'adeptes et QUI ONT FAIT LEURS PREUVES. Le premier ne nomme même pas le Moi Supérieur.

Dans le premier chapitre, on vous a raconté l'histoire d'une jeune femme qui souhaitait ardemment aller vivre dans un pays étranger et qui y est parvenue grâce à la technique de Visualisation Créatrice dite de « l'Étoile ». Voici une autre histoire, celle d'un homme appelé Stan, qui obtint par cette méthode EXACTEMENT CE QU'IL VISUALISAIT, alors qu'au départ il semblait n'avoir aucune chance.

Stan était chauffagiste. Marié et père de trois enfants, il avait besoin de travailler, mais trouvait son métier totalement dépourvu d'intérêt. En fait, *il rêvait d'être caricaturiste*. Depuis l'enfance, il n'avait cessé de remplir des carnets de dessins représentant des personnages et des situations comiques, mais il ne les montrait jamais car il craignait de perdre sa réputation d'ouvrier sérieux. Or, un jour, il découvrit la technique de Visualisation de l'Étoile. ON AURAIT DIT QU'ELLE ÉTAIT FAITE POUR LUI !

Il n'eut aucune difficulté à se visualiser en train de dessiner sans cesse et à voir son œuvre lui apporter célébrité et fortune. Il pensait à l'avenir de sa femme et de ses enfants, tout en conservant la certitude que ses ambitions étaient *légitimes*. Pourquoi, après tout, possédait-il ce talent si ce n'était pas pour l'exercer ? IL *SERAIT* DESSINATEUR !

Moins d'un mois après avoir commencé à pratiquer la Technique de l'Étoile, il fut appelé par son directeur qui lui annonça que la société souhaitait éditer un nouveau manuel pour les apprentis monteurs. Compte tenu de son expérience, il devait connaître tous les pièges à éviter. Il pourrait exposer tous les aspects utiles à l'un des rédacteurs, après quoi on illustrerait le texte de dessins humoristiques.

– *Mais je pourrais faire les dessins !* dit Stan.

Le directeur se laissa convaincre et Stan se mit au travail. Ses dessins étaient drôles, et c'est ainsi qu'il obtint d'illustrer le manuel (avec une prime substantielle). Peu à peu, et sans devoir abandonner son travail, Stan obtint d'autres commandes de dessins. Et maintenant qu'il avait un autre pôle d'intérêt, il trouvait son métier beaucoup moins fastidieux. Sa famille, également, appréciait les revenus supplémentaires que rapportait cette deuxième activité !

La différence essentielle, comme vous le remarquerez, entre la Technique de l'Étoile et la Technique du Chargement *est que la Technique de l'Étoile ne nécessite pas de « chargement » spécifique par la Lumière du Moi Supérieur.* Il s'agit d'une simple visualisation de ce que l'on désire puis d'une séquence d'actions simples associées à l'expression (à haute voix ou en silence) de certaines affirmations. Ainsi, la réalisation de votre désir s'accomplit ASTRALEMENT, tandis que les « branches » de l'Étoile unissent en fait votre désir et votre activité au pouvoir et aux attributs du Moi Supérieur.

Bien que nous nous étendions moins sur les succès de cette technique que sur ceux de la Méthode Principale, *nous reconnaissons tout le* POUVOIR *de la Technique de l'Étoile.* Nous savons aussi que son utilisation vous apportera toutes les preuves souhaitables de LA RÉALITÉ DE LA FORCE SPIRITUELLE QUI EST L'ÉLÉMENT FONDAMENTAL DE LA VISUALISATION CRÉATRICE. Vous SAUREZ, après avoir fait l'expérience des bienfaits de la Visualisation Créatrice, que VOTRE MOI CONSCIENT N'EST PAS SEUL À LUTTER DANS CE MONDE DIFFICILE QUI EST LE NÔTRE !

Il est également possible que par la Technique de l'Étoile, vous n'obteniez guère plus qu'un *aperçu, une opportunité.* Ce que vous créez astralement par cette méthode peut ne pas toujours être durable dans le monde matériel; cela dépend beaucoup du travail de soutien que vous y apportez. (*Vous devez, par exemple, pratiquer le Travail de Fondation pour être, le moment venu, parfaitement compétent dans l'utilisation de la Méthode Principale!*) La jeune femme dont nous avons évoqué l'histoire au chapitre 1 *a appris la langue du pays où elle souhaitait aller.* Cela aussi était tout à fait sage : TOUT CE QUE VOUS UTILISEZ VA DEMEURER EN VOTRE POSSESSION. Stan était capable, depuis son plus jeune âge, de faire des dessins amusants, *et il avait continué secrètement.* C'est une OCCASION, une OPPORTUNITÉ, qu'ont trouvées tous ces individus grâce à la Technique de l'Étoile.

Ceci est important. Le monde fourmille d'opportunités, et ceux qui en bénéficient sont souvent ceux qui n'en ont pas besoin. POUR-QUOI ? *Nous le savons !*

LE SUCCÈS ENGENDRE LE SUCCÈS ! CAR ON DONNE À CELUI QUI POSSÈDE !

La vie est ainsi faite. Vous-même avez sans doute eu l'occasion de vous voir offrir des possibilités qui ne vous intéressaient pas, ou qui, si vous les aviez acceptées, auraient pu bouleverser votre vie. Pourtant, ces occasions représentaient peut-être pour d'autres la réalisation d'un rêve – d'autres auxquels on offrait peut-être la seule et unique chose que vous souhaitiez ! (Encore qu'une telle catastrophe ne soit pas définitive. Songez au garçon à qui l'on avait proposé l'appartement d'Annie Z. Songez à cette autre jeune femme qui a commencé par partir en vacances dans un pays qui ne lui plaisait pas particulièrement.)

Il vous faut donc, d'abord et quelle que soit l'importance de vos biens matériels, vous placer en position de SUCCÈS *pour le genre d'opportunités que* VOUS *souhaitez et* DONT VOUS AVEZ L'EMPLOI. À cet égard, la Technique de l'Étoile peut constituer pour vous un excellent « *brise-glace* » !

La Technique de l'Étoile peut vous aider de bien d'autres façons : pour résoudre un problème de santé, trouver une solution à un ennui d'argent, ou tenir une promesse que vous avez faite de bonne foi. « L'Étoile » convient parfaitement pour ces cas d'urgence et, surtout, pour assurer votre succès initial dans la Visualisation Créatrice. *Poursuivez votre travail dans la Technique du Charge-*

ment pour en arriver à des progrès notables dans la vie, malgré tous les bienfaits que vous pouvez obtenir par la Technique de l'Étoile.

UN PÈRE DONNE DES FRIANDISES À SES ENFANTS QUAND ILS SONT PETITS, POUR LEUR MONTRER QU'IL EST UN VRAI COPAIN. MAIS LORSQU'ILS SONT PLUS GRANDS, IL ATTEND D'EUX UNE AUTHENTIQUE AMITIÉ.

VOUS DEVEZ SOUHAITER, AVEC LE TEMPS, ÉTABLIR UNE VÉRITABLE RELATION AVEC VOTRE MOI SUPÉRIEUR, CE QUI EST BIEN PLUS IMPORTANT QUE LES « FRIANDISES ».

Examinons maintenant le dessin ci-après et voyons comment utiliser la Technique de l'Étoile.

(Pour votre usage personnel, UTILISEZ VOTRE PROPRE COPIE DE CETTE ÉTOILE; N'UTILISEZ PAS CELLE DE CE LIVRE ! Coloriez votre gravure; elle ne doit être QU'À VOUS.)

Utilisez cette technique UNE FOIS PAR JOUR, de préférence le matin au lever *ou* le soir avant de vous coucher. (En dehors de ces séances, pratiquez le Travail de Fondation.)

Effectuez soigneusement tous les préparatifs.

Prenez le dessin représentant l'Étoile.

Asseyez-vous, le dos bien droit, les jambes parallèles. Décontractez-vous tout en libérant votre esprit des autres pensées ou images qui peuvent vous troubler. Commencez la Respiration Rythmique. Pendant que vous pratiquez la Respiration Rythmique, *pensez* à votre

Béni est mon désir
car il est maintenant
exaucé

Bénies sont les lois
de l'univers

...t le bien total dans
lequel tout va s'accomplir

Bénie est son abondance
sans limites

Bénie est la rapidité avec
laquelle tout va s'accomplir

La Technique de l'Étoile de la Visualisation Créatrice

objectif et *visualisez aussi clairement que possible les raisons pour lesquelles vous voulez l'atteindre.* Soyez très clair et *ne laissez pas votre esprit se dissiper vers d'autres souhaits.* Chaque chose en son temps !

Quand vous serez prêt, regardez intensément le Cœur situé dans la pointe supérieure de l'Étoile. Il représente votre cœur, votre désir ! Ne dites rien, mais TOURNEZ LÉGÈREMENT LE DESSIN pour amener à la place du cœur la pointe où se trouve la Balance. Tout en la regardant, dites lentement et avec conviction :

BÉNIES SONT LES LOIS DE L'UNIVERS !

Dites-le sincèrement, avec tous les niveaux de votre psychisme. Les « lois » ne sont pas toujours populaires, mais C'EST PRÉCISÉMENT PARCE QUE CES LOIS EXISTENT QUE VOTRE VISUALISATION CRÉATRICE VA SE RÉVÉLER EFFICACE; c'est PAR LES LOIS DE L'UNIVERS que vous aurez la certitude de NE PLUS être une « victime du HASARD ! » Aussi percevez-vous ces lois comme *sacrées, comme étant la source de votre bonheur* et les déclarez-vous BÉNIES.

TOURNEZ DE NOUVEAU LÉGÈREMENT LE DESSIN pour amener à la place de la Balance la pointe de l'Étoile où se trouve la Corne d'Abondance. En la regardant, dites lentement et avec conviction :

BÉNIE EST SON ABONDANCE SANS LIMITES !

Là, toute explication est inutile ! Lorsque vous voyez les innombrables êtres vivants qui peuplent le monde, et que vous songez aux colossales manifestations de l'énergie libérée par les orages, les océans, les volcans; quand, à travers le microscope, vous découvrez d'autres créatures ou lorsque le microscope électronique vous permet d'appréhender jusqu'à l'énergie de la matière; ou encore lorsque le télescope vous révèle des mondes, des soleils, des galaxies que vous ne percevez que comme une poussière d'argent dans le ciel nocturne, TOUT CELA FAIT PARTIE DE L'UNIVERS DANS LEQUEL VOUS VIVEZ. Pouvez-vous douter, alors, qu'il y ait place dans cet univers pour *votre* vie, pour *vos* ambitions ? Il faut donc sincèrement bénir son abondance sans limites !

TOURNEZ DE NOUVEAU L'ÉTOILE pour amener l'oiseau en vol à la place de la Corne d'Abondance. L'oiseau vole vers vous. Vous ne devez JAMAIS fixer une date pour la réalisation de votre Visualisation Créatrice (de même que vous ne devez jamais préciser de source matérielle à la réalisation de votre souhait) mais SOUHAITEZ QUE LES CHOSES AILLENT RAISONNABLEMENT VITE ! Et là, ne vous contentez pas *d'accepter ce qui est, affirmez ce qui doit être* : BÉNIE EST LA RAPIDITÉ AVEC LAQUELLE TOUT VA S'ACCOMPLIR !

Et ne souhaitez pas que la réalisation de votre désir cause du *tort* ou fasse du *mal* à quiconque. Même si vous avez été lésé par quelqu'un, NE SOUHAITEZ AUCUN MAL AU COUPABLE ! Ce n'est pas une question de « morale ». Moralement, vous avez peut-être tout à fait raison, si ce dont on vous a privé a causé un préjudice à vous-même ou à d'autres. Mais, pour utiliser une image, n'invoquez pas la « roue qui tourne », car LA ROUE CONTINUE DE TOURNER et votre tour viendra ! Le pendule peut être un boome-rang ! Si vous ne voulez pas croire au Bouddha, au Christ ou au prophète de l'Islam, *croyez au moins les physiciens* : vous vivez *dans un univers physique.* Dans cet ouvrage nous nous bornons à le considérer d'un point de vue plus profond que celui des physiciens, mais IL N'Y A LÀ AUCUNE CONTRADICTION.

Il vous faut donc mettre en œuvre une force plus puissante pour *arrêter la rotation de la roue,* le *balancement du pendule,* au point où vous souhaitez l'arrêter, bien sûr. (Fort heureu-sement, les forces supérieures sont des forces intelligentes !) Il vous faut donc TOURNER L'ÉTOILE pour amener le Soleil Rayonnant à la place de l'Oiseau. Dites alors :

BÉNI EST LE BIEN TOTAL DANS LEQUEL TOUT VA S'ACCOMPLIR !

Le Soleil brille tout autant pour le juste que pour l'injuste. SOUHAITEZ *que les bienfaits dont vous allez bénéficier ne soient retirés à qui-conque !*

Tournez maintenant l'Étoile encore une fois pour ramener la pointe où se trouve le Cœur à la place du Soleil et terminez en disant :

BÉNI EST MON DÉSIR CAR IL EST MAINTENANT EXAUCÉ !

Dites-le hardiment et avec une profonde confiance. Dans le monde spirituel, c'est déjà vrai, en toute certitude, avec libéralité, avec rapidité, avec bienveillance, de façon satisfai-sante, et cela va le devenir DANS LE MONDE MATÉRIEL. Il vous suffit de continuer tranquille-ment la Méthode de l'Étoile, *toujours à la même heure chaque jour* et (est-il besoin de le préciser ?) *sans en parler à qui que ce soit.*

Au chapitre 6, nous avons dit *qu'il ne fallait jamais donner de détails* sur votre projet de Visualisation Créatrice, et qu'il fallait éviter de *rendre les autres jaloux ou envieux* de vos progrès. *Ne poussez pas les sentiments destructeurs des autres à combattre vos sentiments créatifs.* Même vos plus proches amis peuvent malheureusement faire surgir ce genre de problèmes si a) ils ne veulent pas croire que vous possédez des facultés intérieures, ou b) s'ils sont inconsciemment envieux que vous *ayez* une vie intérieure, une vie à part.

Mais il existe deux autres raisons importantes pour lesquelles vous ne devez rien dire – et surtout *ne pas vous vanter* – de ce que vous espérez obtenir par la Visualisation Créatrice. La première est une question de TENSION.

La tension est une très bonne chose quand elle s'exerce à bon escient. Si vous souhaitez lancer une flèche à l'aide d'un arc, il faut tirer sur la corde. *Pas de tension, pas de tir.* Si vous voulez qu'une montre à ressort vous donne l'heure, il faut la remonter pour tendre le ressort, pour qu'il exerce sa pression sur les rouages. *Pas de tension, pas de réaction.*

Il est difficile d'exercer une action efficace sur le monde matériel, à cause de l'INERTIE DE LA MATIÈRE. On peut aisément créer une image de ce que l'on désire dans le monde astral. Mais pour provoquer une action dans le monde matériel, il faut STIMULER SPIRITUELLEMENT LE MONDE ASTRAL AFIN DE PROVOQUER UNE TENSION qui entraînera l'action dans le monde matériel. Aussi, *en parlant* du résultat que vous escomptez, vous risquez de RELÂCHER LA TENSION. (Très souvent, bien sûr, c'est cette tension même qui vous donne le sentiment d'être « contraint » de parler de votre projet et c'est là qu'il faut vous montrer particulièrement vigilant !)

Il existe un autre risque. Les normes établies concernant la vanité, la folie, et la faiblesse, sont bien plus sévères que les jugements d'un dieu quelconque ! Il nous est difficile de modifier ces jugements, aussi irrationnels qu'ils nous paraissent, car ils sont d'ordinaire profondément enracinés dans l'inconscient de la petite enfance et de nos « années formatrices ». Cela peut parfois nuire aux images que nous demandons à notre Moi Supérieur de réaliser.

GARDER LE SILENCE, C'EST SAUVEGARDER L'INTÉGRITÉ DE L'OPÉRATION MAIS AUSSI NOTRE INTÉGRITÉ PERSONNELLE.

Certes, vous pouvez toujours dire à vos amis et à vos proches, s'ils se sentent troublés par ce que vous faites, qu'ils doivent se montrer confiants et optimistes. Ainsi les aiderez-vous, et sans que vous le leur demandiez, ILS VOUS AIDERONT AUSSI !

Voyons maintenant une autre technique moins puissante que la Méthode Principale complète de Visualisation Créatrice, mais D'UNE GRANDE EFFICACITÉ.

Cette technique *dépend entièrement de votre capacité à vous emplir de votre Moi Supérieur*, mais n'exige pas une pleine capacité de visualisation. Elle peut donc, dans des conditions différentes de celles de la Technique de l'Étoile, se révéler d'une grande utilité lorsqu'on n'a pas encore acquis toute la compétence nécessaire au Travail de Fondation. Elle est notamment indiquée dans les situations où *l'on a déjà ce que l'on désire, mais de façon insuffisante.*

Peut-être avez-vous un logement mais en souhaitez-vous un plus grand. Peut-être avez-vous de l'argent mais pas suffisamment pour réaliser votre projet. Peut-être avez-vous des vêtements mais en souhaitez-vous de nouveaux, PEUT-ÊTRE CE QUE VOUS POSSÉDEZ NE CONVIENT-IL PAS À VOTRE BUT, OU PEUT-ÊTRE CRAIGNEZ-VOUS QUE LA SOURCE NE SE TARISSE.

Dans de tels cas, il est important de savoir QUOI FAIRE. Certaines personnes nous conseillent de *nous satisfaire de ce que nous avons.* (En règle générale, moins vous avez et plus on vous dit de vous contenter de ce que vous avez!) Si cette notion n'est pas totalement erronée, elle ne constitue QU'UNE PETITE PARTIE DE LA VÉRITÉ.

La vérité « vraie » est la suivante :
Ne détestez pas ce que vous avez !
Ne méprisez pas ce que vous avez !
Ne craignez pas que ce que vous avez vienne à vous manquer !

Ce que vous possédez constitue un début VERS QUELQUE CHOSE DE MIEUX !

Mais pour y parvenir, il ne faut pas détruire ce que vous avez déjà; il faut le chérir, le purifier si besoin est, mais le soutenir, l'AIMER. N'oubliez pas qu'en matière de Visualisation Créatrice nous ne traitons pas seulement avec le monde matériel mais également avec les niveaux où naissent et prennent forme les événements de ce monde. Et les valeurs de ces niveaux sont importantes dans ce monde matériel. DÉTESTEZ DÉTRUIRE, CRAIGNEZ DE DÉTRUIRE. AIMEZ CRÉER ET FAITES CONFIANCE À LA CRÉATION.

Souvent, les hommes ont tiré le maximum de profit du peu de chose qu'ils avaient. Ils s'en sont plaints. Mais ils n'ont pas gaspillé leur temps et leur énergie à se lamenter sur les défauts et les insuffisances DES MOYENS ET DES OCCASIONS QUI LEUR ÉTAIENT OFFERTS. Ils les ont utilisés (*Que pouvaient-ils faire d'autre ?*) POUR OBTENIR CE QU'ILS DÉSIRAIENT.

Au-delà de la vie et de la réussite de ces individus se trouve *une force spirituelle bien plus grande, bien plus élevée que ses manifestations dans le monde matériel.* Les réussites terrestres les plus spectaculaires ne sont que l'ombre de la force spirituelle, car LORSQU'ON AGIT AVEC SON MOI SUPÉRIEUR, LA PUISSANCE, L'ÉCLAT ET LA NOBLESSE DE LA FORCE À LAQUELLE ON FAIT APPEL EST SANS LIMITES.

La Bible, dans l'Ancien Testament comme dans le Nouveau, cite des exemples qui illustrent l'œuvre de cette force, mais le PRINCIPE n'en est pas révélé. Il n'en demeure pas moins que les hommes ont adoré ces histoires à travers les siècles car nombre d'entre eux ont *su et prouvé* que de telles choses arrivent. Relisez l'histoire du prophète Elie, de la veuve et de la quantité réduite de nourriture, dans le Premier Livre des Rois, ch. XVII, versets 9 à 16. Relisez également, dans le Nouveau Testament, le récit de la multiplication des pains et des poissons. On en trouve plusieurs versions : dans Matthieu, ch. XV, versets 35 à 38; dans Marc, ch. VI, versets 35 à 44 *et* ch. VIII, versets 1 à 10; dans Luc, ch. IX, versets 12 à 17.

C'est de ces récits que tire son nom la *Technique de la Multiplication* que nous allons vous indiquer. (Et également de la multiplication arithmétique. Multipliez un nombre quelconque par quelque chose et vous obtenez quelque chose. Multipliez un nombre quelconque par zéro et vous obtenez zéro. Il faut commencer par *quelque chose* pour utiliser cette méthode, une pincée de nourriture et une goutte d'huile, mais QUELQUE CHOSE.

Pour avoir une idée de la vérité divine qui se trouve sous ces phénomènes, lisez les paroles d'un poète mystique persan du XVIIIᵉ siècle, Ahmed Hatif. Bien évidemment, il ne parle pas de biens terrestres mais de concepts spirituels :

QUAND TOUT CE QUE VOUS VOYEZ
VOUS VOIT AVEC AMOUR,
TOUT CE QUE VOUS AIMEZ
VOUS LE VERREZ BIENTÔT.

Méditez ces paroles. Elles ne sont pas « trop élevées » pour vous mais témoignent d'une grande vérité spirituelle et, si vous laissez leur signification s'insinuer dans votre esprit et votre âme sans résister, vous verrez que cela VOUS VIENT NATURELLEMENT.

Et ce qui est vrai des niveaux les plus élevés doit l'être également sur la terre car IL N'EXISTE QU'UNE SEULE VÉRITÉ SPIRITUELLE.

Ne vous leurrez pas en ce qui concerne « l'amour ». L'amour n'est pas possession, fai-

blesse ou émotion. Il implique de voir le meil-
leur dans ce qu'on aime, de l'aider à se déve-
lopper naturellement. Cela s'applique autant
aux choses, aux événements, qu'aux êtres dont
vous pouvez être responsable.

Cela s'applique également à VOUS. Cela
signifie prendre l'habitude de vous voir comme
étant essentiellement VOUS, de découvrir ce
que vous souhaitez sincèrement et de voir ce
pour quoi vous œuvrez, de le visualiser au
lieu de changer d'objectif chaque fois qu'une
nouvelle occasion se présente.

Sachez également – et c'est très important
– QU'AVEC CETTE CONNAISSANCE, VOUS NE PIÉTINEREZ
PAS LES PLATES-BANDES DES AUTRES COMME CELA
PEUT SE PRODUIRE QUAND ON SE LANCE À L'AVEU-
GLETTE. VOUS POURREZ, EN TOUTE SÉRÉNITÉ, « VIVRE
ET LAISSEZ VIVRE ». *VOUS SAVEZ QU'IL Y A ASSEZ
D'ABONDANCE POUR TOUS DANS L'UNIVERS. VOUS
POUVEZ VIVRE EN CONSÉQUENCE !*

La Technique de la Multiplication

Tenez-vous debout. (Bientôt, peut-être,
aurez-vous besoin de marcher, pour bénir
divers objets dans une pièce, par exemple.)

Commencez votre Respiration Rythmique.

Regardez ce que vous voulez voir grandir.

Si vous ne parvenez pas à visualiser clairement, *supposez* au moins que ce que vous
regardez est entouré d'un cercle blanc. Imaginez ensuite ce que vous regardez comme
étant CONFORME À VOTRE DÉSIR : « plus grand »,
« plus neuf », « mieux adapté », etc.

Chargez *l'objet réel* de cette lumière. En d'autres termes, imaginez et affirmez cet éclat, ce rayonnement en train de croître dans l'objet et de le transfuser, le rendant lumineux, tandis que dans le même temps la lumière s'estompe de vous-même. Une fois le transfert achevé, dites :

— BON ET SUFFISANT POUR MOI EST MON (le nom de l'objet).

— PAR LE POUVOIR DE MON MOI SUPÉRIEUR JE LE BÉNIS.

— DANS LA JOIE ET L'ABONDANCE JE LE BÉNIS !

Contemplez un instant l'objet radieux puis laissez lentement la lumière s'estomper de votre conscience.

Tout en continuant la Respiration Rythmique, répétez le même processus de contemplation, chargement et bénédiction pour tout autre objet que vous souhaitez inclure.

Pratiquez cette méthode quotidiennement. Sa puissance est utile à l'accroissement de ce que vous souhaitez !

Contrôle

7

– Si vous ne vous sentez pas prêt pour la Méthode Principale complète, exercez-vous avec des techniques mineures.

– Si vous avez des difficultés à charger avec la Lumière du Moi Supérieur, vous pouvez recourir à la Technique de l'Étoile de Visualisation Créatrice.

– Pour pratiquer la Technique de l'Étoile, faites une copie du dessin représenté dans ce chapitre. Vous aurez ainsi votre Étoile personnelle – que vous pourrez colorier si vous le souhaitez – pour VOTRE Visualisation Créatrice.

– Si vous éprouvez des difficultés à visualiser, vous pouvez néanmoins tirer profit du Pouvoir de votre Moi Supérieur par la Technique de la Multiplication.

– Du fait que vous devez pratiquer quotidiennement le Travail de Fondation, il convient de le développer afin de vous préparer à l'utilisation de la Technique de l'Étoile ou de la Technique de la Multiplication et de les renforcer.

POINTS D'ÉTUDE

8

Votre raison, votre corps et votre esprit forment un TOUT.

Le Programme de Relaxation Créatrice constitue la base d'un programme de Développement Intérieur.

On peut utiliser les mêmes techniques de Visualisation Créatrice pour améliorer sa mémoire et changer ses habitudes.

Osez être puissant !

8

La lecture de ce livre a pu vous inspirer plusieurs réflexions qu'il convient maintenant d'examiner.

Peut-être, par exemple, souhaitez-vous quelque chose qu'on ne peut facilement visualiser, comme la volonté de cesser de fumer, de renoncer à l'alcool, de ne plus manger exagérément ou encore de pouvoir vous lever tôt.

La lecture de ce chapitre va vous apporter une aide précieuse dans ces différents domaines.

Ou peut-être avez-vous souhaité obtenir certains avantages matériels par la Visualisation Créatrice et avez-vous trouvé curieuses ou même un peu gênantes nos références répétées à Votre Moi Supérieur.

Quoi qu'il en soit, que vous souhaitiez quelque chose de spirituel, d'intellectuel ou de matériel, vous n'êtes pas un pur esprit ni simplement un corps; vous êtes un ÊTRE vivant, une entité.

*Pour bien fonctionner dans le monde maté-
riel, vous avez besoin de votre raison et de
votre esprit.*

*Pour bien fonctionner aux niveaux
rationnel et spirituel, il vous faut la collaboration de votre corps.*

Nous vous avons montré comment parvenir
à une Visualisation Créatrice efficace sans référence directe à une Puissance Supérieure, quel
que soit son nom. Il vous faut cependant
recourir à l'intervention du Moi Supérieur, car :

a) Votre Moi Supérieur est, POUR VOUS, la
source de toute abondance et vous devez le
considérer comme un ami.

b) Les bienfaits de la Visualisation Créatrice
doivent être SAUVEGARDÉS pour être aussi durables que possible dans le monde matériel.

Pour être durables, ces bienfaits doivent
d'abord bénéficier de la Puissance du Moi
Supérieur et, *ensuite*, être utilisés à bon
escient.

Ce qui nous amène à un autre aspect de la
question. Vous pouvez faire des progrès consi-
dérables dans le domaine de la Visualisation
Créatrice. Le potentiel de bienfaits que vous
pouvez en retirer est, en soi, ILLIMITÉ; mais
dans quelle mesure pouvez-vous UTILISER CES
BIENFAITS DE FAÇON BÉNÉFIQUE ?

C'EST LÀ UNE QUESTION FONDAMENTALE. *LA CAPA-
CITÉ D'UTILISATION CONSTITUE, EN FIN DE COMPTE,
LA MESURE DE CE QUE L'ON PEUT OBTENIR.*

En conséquence, même pour progresser
dans le monde matériel, vous devez être

capable de libérer et de développer vos ressources intérieures. Inversement, si vous souhaitez d'abord développer vos ressources intérieures, vous ressentirez le besoin de disposer de meilleurs moyens d'expression et de plus d'expérience *pour utiliser vos capacités.*

Toutes ces réflexions conduisent à la même conclusion. Que vos désirs initiaux soient orientés vers l'intérieur ou vers l'extérieur, il est essentiel, pour parvenir à des progrès satisfaisants, qu'existe une certaine alternance entre les deux types de développement. *Procédez par étapes !*

Jusqu'à présent, cet ouvrage vous a permis de découvrir : LA MÉTHODE PRINCIPALE DE VISUALISATION CRÉATRICE : Le Travail de Fondation et la Technique du Chargement.

LA TECHNIQUE DE L'ÉTOILE, que l'on peut utiliser à la place de la Technique de Chargement.

LA TECHNIQUE DE MULTIPLICATION, qui n'exige pas de visualisation de l'objectif mais nécessite que l'on possède déjà, en partie, ce que l'on souhaite obtenir.

LE PROGRAMME DE RELAXATION CRÉATRICE (cf. chapitre 2).

Ce Programme de Relaxation Créatrice est la base d'un développement intérieur, c'est-à-dire mental et spirituel, mais qui tient également compte de l'interaction de l'esprit et du corps. Ce Programme de Relaxation implique non seulement le contrôle du corps mais aussi le bien-être de chacune des parties du corps. *C'est là que réside sa CRÉATIVITÉ.*

Vous SEUL pouvez décider de votre programme de développement intérieur. Nous pouvons vous donner d'utiles conseils, mais vous seul connaissez vos besoins profonds.

Pratiquez QUOTIDIENNEMENT *la Relaxation Créatrice.*

Supposons, par exemple, que vous souhaitiez cesser de fumer. La meilleure façon d'y parvenir est de vous dire avec fermeté : C'EN EST FINI DU TABAC ! TERMINÉ ! À JAMAIS ! Inutile de justifier votre décision. Ne laissez pas place au doute ni à l'hésitation. (Cette manière de procéder convient à bien d'autres décisions.) Si vous pouvez terminer une séance de Relaxation Créatrice en affirmant votre résolution alors que vous êtes en harmonie et en paix avec vous-même, vous n'aurez jamais besoin d'y revenir.

Mais si vous avez déjà pris la même décision dans le passé, puis douté, hésité, regretté et finalement *renoncé*, agissez progressivement cette fois.

Observez les trois règles suivantes :

1. Occupez-vous physiquement et mentalement (sans vous SURMENER) à quelque chose qui vous intéresse vraiment. Votre programme de Travail de Fondation devrait faire l'affaire et détourner efficacement votre attention de la sensation de « manque » physique ou psychologique. (Vous pouvez pratiquer la méditation pour débarrasser votre organisme de la nicotine, mais cela ne vous aidera à cesser de fumer que si vous vous préoccupez également de l'aspect émotionnel.)

2. Découvrez la principale raison qui vous pousse à fumer (désir d'imiter les autres, manière d'entamer une conversation, réflexe

de défense, habitude liée à la vie sexuelle, façon de terminer un repas ou simple crainte de paraître asocial ou de prêter le flanc à la critique. Malheureusement, à cause des campagnes de lutte contre le cancer du poumon, de nombreuses personnes n'ont pas renoncé au tabac de crainte de paraître timorées. Ou peut-être avez-vous commencé à fumer pour vous aider à prendre des décisions et continué malgré vous).

Surtout, soyez ferme, même avec les amis, ne vous apitoyez pas sur vous-même, et ne considérez pas le tabac comme faisant inévitablement partie de votre vie.

3. Précisez la principale raison qui vous pousse à NE PLUS fumer. À ce stade, votre démarche doit être rationnelle, ne soumettez donc pas la question à votre nature instinctuelle et émotionnelle, mais livrez-vous à un examen *complet* de vos raisons.

Vous allez constater que l'argument rationnel, présenté tel quel, sera probablement *rejeté* par votre nature instinctuelle et émotionnelle ! Vous devez découvrir la manière de le faire accepter À PETITES DOSES, en le rendant attrayant jusqu'à ce qu'il soit accepté.

Vous pouvez invoquer des raisons de santé, d'argent, ou vous dire que fumer ne fait pas partie d'une vie naturelle. Ou peut-être aimez-vous quelqu'un qui ne fume pas.

4. Lors de votre prochaine séance quotidienne de Relaxation Créatrice, procédez comme d'habitude jusqu'au stade final, en prenant *bien soin* de souhaiter tout le bien possible à chacune des parties de votre corps :

Restez allongé, relaxé, dans une bienheureuse harmonie intérieure, mais au bout d'un moment, *lancez une autre idée.* Par exemple :

MON CORPS FAIT BEAUCOUP POUR MOI.
MON SYSTÈME NERVEUX FAIT BEAUCOUP POUR MOI.
JE NE SOUHAITE PAS LES EMPOISONNER POUR LES
REMERCIER.

Ou encore :

L'ARGENT EST LE POUVOIR QUI PERMET DE VIVRE.
QUE DOIT-IL PERMETTRE D'ACQUÉRIR ? LA PUISSANCE
DE VIVRE.

Cela doit être quelque chose *qui vous tienne à cœur*, mais qui soit également assez simple pour être assimilé par vos niveaux Inconscients Inférieurs.

5. Après quelques séances, *vous devriez pouvoir ajouter quelque chose concernant plus précisément le tabac.*

Si votre nature émotionnelle l'accepte sans autre réaction, c'est parfait ! Continuez ainsi pendant deux semaines environ pour VOUS ASSURER de toute absence de réaction négative, et passez au stade suivant.

5a. Qu'entendons-nous par réaction négative ? Cela se traduit d'ordinaire par une intensification, une augmentation de la pression émotionnelle qui vous poussera à reprendre – le tabac, dans ce cas particulier – sans aucun motif rationnel. Cela traduit les craintes de votre nature émotionnelle de se trouver PRIVÉE de quelque chose.

Votre esprit rationnel peut être tout à fait conscient du fait que le tabac ne vous fait aucun bien, mais il n'est pas certain que votre nature émotionnelle s'en rende également compte. Vous traitez, là, avec votre moi SUBRATIONNEL, qui a ses propres raisons, mais il s'agit d'incitations émotionnelles, et non pas rationnelles. Votre nature émotionnelle a peut-être la conviction que fumer est un comportement d'adulte, ou une manifestation de prospérité, ou un calmant pour les nerfs. (Certes, vous avez vu les mains tremblantes d'un gros fumeur, mais votre moi subrationnel, précisément, ne se situe pas au niveau du rationnel !) Si vous ressentez des manifestations de protestation, REVENEZ au premier stade et ajoutez d'autres mots et idées susceptibles de rétablir la vérité. *Comme pour un enfant, soyez patient mais ferme.*

Si un rêve vient vous troubler dans cette pratique, ÉCRIVEZ ce que vous avez rêvé. Il s'agit d'un message qui a une signification pour l'*expéditeur* sinon pour votre esprit rationnel.

En y prêtant attention, vous découvrirez peut-être que parmi vos raisons émotionnelles de fumer s'en est glissée une ou plusieurs qui vous ont échappé. Nous savons tous que nous possédons un esprit subrationnel mais il peut toujours nous réserver des surprises.

L'étape suivante, une fois que vous aurez trouvé et désamorcé ce nouvel argument en l'examinant à la lumière de vos raisons présentes (sans malveillance, mais comme un jouet qui n'est plus de votre âge) consiste à éviter les situations qui vous incitent à fumer.

6. Il vous reste maintenant, *toujours au cours de la dernière partie de votre séance quotidienne de Visualisation Créatrice*, à vous créer une visualisation de cette situation. « VIVEZ-LA » DE FAÇON AUSSI RÉALISTE QUE POSSIBLE, en la recréant dans votre imagination, que ce soit à une réunion de conseil d'administration, en prenant un verre avec les copains ou après l'amour – MAIS, ALORS QUE VOUS VIVEZ L'INSTANT EN IMAGINATION, VOUS NE FUMEZ PAS. VOUS VISUA-LISEZ L'INSTANT COMME UN PLEIN SUCCÈS, MAIS SANS TABAC. Vous vous voyez comme un homme qui ne fait que ce qui LUI plaît et qu'on respecte pour cela, ou comme une femme élégante qui n'a pas besoin de cigarette pour se donner une contenance.

PÉNÉTREZ-VOUS ENSUITE DE LA LUMIÈRE DE VOTRE MOI SUPÉRIEUR. CHARGEZ ET BÉNISSEZ L'IMAGE VISUA-LISÉE DE VOUS-MÊME, CONTEMPLEZ-LA UN INSTANT PUIS LAISSEZ-LA S'ESTOMPER.

Accordez *toujours* le plus grand soin aux détails du chargement. Vous aurez continué votre Respiration Rythmique pendant tout le cours de la Relaxation Créatrice ainsi que vos nouvelles formulation et visualisation dans la phase finale. Lors de plusieurs Respirations Rythmiques, vous vous emplissez de la Lumière de votre Moi Supérieur tout en poursuivant la visualisation de votre nouvelle personnalité, heureuse, et ayant cessé de fumer.

Maintenant, dans votre visualisation, enfer-mez cette image heureuse dans un cercle blanc.

Pendant le même nombre de Respirations Rythmiques, vous voyez l'image s'emplir de la Lumière de votre Moi Supérieur, de sorte qu'elle irradie maintenant le cercle d'une intense lumière blanche.

Conservez dans votre visualisation cette image radieuse, contemplez-la pendant plusieurs Respirations Rythmiques avant de la laisser lentement s'évanouir de votre conscience. Mais n'oubliez pas : VOUS L'AVEZ CHARGÉE DE LA LUMIÈRE ET DE LA PUISSANCE DE VOTRE MOI SUPÉRIEUR, de sorte qu'elle est toujours là, PUISSANTE, PRÊTE À AGIR SUR VOTRE NATURE ÉMOTIONNELLE ET SES ÉLANS INCONSCIENTS.

En fait, nous avons là l'occasion de saisir toute la portée et la PUISSANCE de la Technique du Chargement lorsqu'il s'agit, par exemple, de s'arrêter de fumer.

N'oubliez pas : la Lumière de votre Moi Supérieur est TOUT À LA FOIS PUISSANCE, FORCE VITALE, AMOUR ET BÉNÉDICTION.

LA PUISSANCE ENGENDRE LA PUISSANCE. L'AMOUR ENGENDRE L'AMOUR.

Ainsi, VOUS, VOTRE NOUVELLE PERSONNALITÉ, serez *plus respecté*, mais aussi DAVANTAGE AIMÉ. Non seulement vous serez plus *admiré*, mais vous serez aussi PLUS SÉDUISANT.

Comment le savez-vous ? Comment saurez-vous que vous n'êtes pas, en fait, aimé « pour vos défauts », pour vos faiblesses ?

Parce que votre MOI RÉEL est *effectivement* beaucoup plus aimable, séduisant, digne de respect que toutes les autres images de vous-même. Si vos proches l'ignorent, c'est qu'ils n'ont pas encore eu devant les yeux les images futures et beaucoup plus vraies de vous-même ! QUAND ILS LES AURONT VUES, ILS NE S'Y TROMPERONT PAS.

Aussi, OSEZ DONC ÊTRE PUISSANT, SÉDUISANT, DYNAMIQUE ! AIMEZ-VOUS, PARDONNEZ-VOUS, LIBÉREZ-VOUS !

Lorsque vous construisez cette nouvelle image victorieuse de VOUS-MÊME, et avant de la charger de la Lumière de votre Moi Supérieur,

FAITES UNE PAUSE.

PRENEZ PLAISIR À LA CONTEMPLER,

C'EST VOUS !

Vous allez vivre votre vie À VOTRE GUISE, chargé tout à la fois de puissance, de force vitale et de bénédiction. CHARGEZ-LA MAINTENANT DE LA LUMIÈRE ET FAITES-EN UNE RÉALITÉ.

Cette méthode pour cesser de fumer peut facilement s'adapter à d'autres domaines.

Avant de passer à un autre sujet, nous allons répondre à une question que se posent ceux qui ont une raison précise de s'arrêter de fumer (ou de boire, ou de paresser, ou de se montrer agressifs, etc.).

Voici la question : *Je suis amoureux d'une femme − ou amoureuse d'un homme − qui déteste le tabac. Parce que j'aime cette personne, je souhaite cesser de fumer. Dois-je passer par tout le long processus que vous venez de décrire ? Ne puis-je prendre un raccourci ? Mon amour pour cette personne ne suffit-il pas à me faire renoncer à ce qui lui déplaît ?*

Tout d'abord, cette méthode peut NE PAS être très longue. Pour certains, UNE SEULE séance de Visualisation Créatrice consacrée au but souhaité suffit à provoquer un changement radical.

Dans d'autres cas, il convient d'apporter des précisions.

Comment avez-vous fait pour tomber amoureux de quelqu'un dont les goûts sont apparemment si différents des vôtres ? Et pourquoi voulez-vous faire comme elle ou lui dans ce cas particulier ? Peut-être le fait de fumer ou de ne pas fumer n'est-il pour vous qu'un simple point de vue, alors que c'est, pour votre partenaire, une question capitale. En toute honnêteté, vous avez là une chance sur deux de réussir. Vous le souhaitez réellement ou non ; et ni la Visualisation Créatrice ni aucune autre méthode ne peut vous permettre de réussir si vous ne le voulez pas vraiment.

Les chances de succès sont beaucoup plus grandes si, avant même de rencontrer cette personne, vous avez ressenti une envie, aussi faible soit-elle, de faire comme elle. La cause peut en être un trait de caractère qui vous séduit particulièrement chez lui ou elle. Peut-être s'agit-il d'une envie que vous auriez eue si vous aviez été plus résolu, et l'exemple et la force de cette personne vous incitent-ils à essayer encore.

Dans ce cas, vous devriez certainement *en prendre conscience* et suivre son exemple parce que c'est là ce que vous souhaitez et NON parce que vous voulez être agréable à l'être aimé ou, pis encore, faire ce « sacrifice » pour lui plaire.

Il y a à cela plusieurs excellentes raisons. La première, qui se trouve à la base des méthodes de Visualisation Créatrice comme de toute autre méthode de développement intérieur, est que vous devez savoir que c'est VOUS qui souhaitez vous rapprocher le plus possible de VOTRE MOI RÉEL. Il ne s'agit nullement de se rallier à l'idée que s'en fait quelqu'un d'autre !

La Pratique de la Visualisation Créatrice pour améliorer la mémoire

La Visualisation ou la Relaxation Créatrices peuvent-elles améliorer la mémoire ?

Certainement, si vous prenez conscience (comme pour maigrir ou pour étoffer vos muscles) qu'il faut se livrer autant à un travail EXTERNE qu'à un travail INTERNE.

Posséder une « meilleure mémoire », qu'entendez-vous par là ? La capacité de vous souvenir parfaitement d'un discours que vous avez l'intention de prononcer après un dîner ? Les clauses du traité de Vienne (1815) ? Un poème ? Une pièce de théâtre ? Le nom exact de cet instrument de votre tableau de bord que vous persistez à appeler « le bidule » ? Ou encore l'anniversaire de votre belle-mère ?

Ou souhaitez-vous seulement être moins distrait ?

Avant d'aborder la partie Créatrice de l'amélioration de la mémoire, livrons-nous à une utile reconnaissance préliminaire : *pour avoir une bonne mémoire, il faut l'exercer, mais ne le faites pas pour des choses inutiles.*

Certaines personnes souffrent de troubles digestifs du fait qu'elles ne mangent pas suffisamment de « fibres ». Peut-être avalent-elles toutes les protéines, vitamines et minéraux utiles, mais leur système digestif *ne parvient pas à les assimiler* du fait d'une carence en « fibres ». IL EN EST DE MÊME POUR LA MÉMOIRE.

Les enseignants se trompent parfois sur ce qu'il faut mémoriser. Ils tentent de RÉDUIRE, de RATIONALISER le sujet à un point tel que la mémoire des étudiants n'a plus de *points de repère* et ne peut fonctionner correctement. Alors que tout ce qui RETIENT L'ATTENTION permet de mieux mémoriser un texte par association d'idées.

Il peut s'agir de quelque chose de tout à fait banal ou sans rapport direct avec le sujet. Mais l'efficacité en sera plus grande s'il s'agit de quelque chose d'INTIMEMENT LIÉ AU SUJET QUE VOUS SOUHAITEZ MÉMORISER; dans ce cas, il sera fait appel tout autant à votre intelligence qu'à votre mémoire, chacune contribuant à aider l'autre.

Ainsi aurez-vous un recours si la mémoire vous fait défaut. Et la mémoire VOUS FERA D'AUTANT MOINS DÉFAUT que vous prendrez conscience de ce fait.

Pour votre discours d'après-dîner. Vous n'avez probablement nul besoin de vous souvenir des termes exacts de ce discours ! Vous souhaitez seulement vous en souvenir par crainte du trou de mémoire. Or, *apprendre* votre discours *par cœur, c'est le meilleur moyen d'avoir un « trou »* !

Prenez une feuille et notez dans l'ordre la liste des sujets que vous souhaitez aborder. Il doit y avoir une RAISON à ces sujets et à cet ordre. *Assurez-vous que vous ne les oublierez pas.*

Apprenez maintenant vos différents sujets. MAIS PAS VOTRE DISCOURS ! N'APPRENEZ JAMAIS LES MOTS EXACTS À MOINS QUE CES MOTS N'AIENT UNE IMPORTANCE CAPITALE.

Pourquoi ? Eh bien, si vous parvenez à vous passer des termes exacts, ce sera toujours un risque en moins. Si vous comptez sur les mots exacts et qu'une expression ou une phrase vous échappe, vous êtes perdu, vous « séchez »; tandis qu'en suivant simplement le sens des divers sujets, vous pouvez parfaitement être éloquent *sur le thème que vous avez choisi.*

Il y a une autre raison. Peut-être avez-vous préparé un discours d'une certaine longueur, peut-être voulez-vous qu'il soit amusant. Et si vous disposez de moins de temps que prévu, si certaines circonstances vous obligent à adopter un ton plus solennel, comment vous adapterez-vous à la situation, si vous êtes prisonnier de votre texte ?

Lors de votre séance quotidienne de Relaxation Créatrice, quand vous êtes allongé, complètement détendu, en train de faire votre Respiration Rythmique, en paix et en harmonie avec vous-même, *visualisez l'occasion dans laquelle vous allez prononcer votre discours.* Si les termes exacts vous viennent à l'esprit, ne tentez pas de les mémoriser. L'important est d'arriver à un sentiment de bien-être et de RÉUSSITE. Continuez à faire défiler dans votre esprit les sujets dans le bon ordre; si l'un des thèmes vous échappe, *ne vous inquiétez pas*, continuez à faire défiler votre liste pour vous assurer que vous la saurez le lendemain. (Ou si vous ne parvenez pas à assimiler tel ou tel ordre, demandez-vous *s'il n'est pas illogique, si vous ne devriez pas le modifier.*)

Enfin, CHARGEZ VOTRE IMAGE VISUALISÉE DE LA RÉUSSITE : FAITES-EN UNE VIVANTE RÉALITÉ.

Le traité de Vienne (ou tout autre texte important dont vous devez vous souvenir pour un cours ou un examen).

Pourquoi est-il utile que vous l'appreniez ? Certainement pas pour tester votre mémoire.

La meilleure et la plus sûre façon de vous en tirer (qu'il s'agisse du traité de Vienne ou des températures de fusion de différents alliages d'aluminium, de cuivre et de manganèse) est de comprendre dans quel but il convient de le restituer. FAITES APPEL À VOTRE IMAGINATION. Voyez où se situait, sur la carte, la « Poméranie suédoise », par exemple, et son importance pour le pays qui la possédait. Ou voyez exactement ce que signifient les différentes parties du schéma des températures de fusion des alliages. Quel que soit le sujet, faites une copie de la carte ou de la courbe en cause, ou faites-vous un schéma personnel, ET VIVEZ-LE DANS VOTRE IMAGINATION. Vous pouvez y parvenir, même si le sujet n'offre pas grand intérêt pour vous.

Et n'oubliez pas que VOTRE esprit, votre cerveau et votre imagination sont en grande partie conçus comme ceux des individus qui ont jugé ces sujets passionnants.

Il faut comprendre votre sujet, retenir des *faits* et non pas des mots ou des chiffres. Ensuite, RELAXEZ-VOUS, VISUALISEZ, CHARGEZ (cela fait partie de votre vie !) et APPRENEZ.

Les poèmes et pièces de théâtre. Là, il faut bien sûr se souvenir des mots exacts. Mais, là encore, vous vous rendrez les choses plus faciles en découpant le poème ou la pièce en séquences : analysez le raisonnement, les émotions et sentiments, le rôle des différents personnages, toute l'ambiance qui fait naître les mots. D'abord, cette *évolution* sous-jacente est plus facile à retenir car votre esprit et votre nature émotionnelle vont l'assimiler aisément alors que votre cerveau aura du mal à mémoriser machinalement des mots; ensuite, quand le développement, « l'histoire » en fait, vous paraîtra limpide, les mots vont s'inscrire dans un schéma bien défini d'associations auquel votre cerveau pourra faire appel.

Il faut donc en arriver au stade où vous parviendrez, dans un état de complète Relaxation Créatrice, à « vivre » toute la séquence des événements et/ou de l'évolution émotionnelle et raisonnée du poème ou de la pièce. Chargez-le alors de la Lumière de votre Moi Supérieur car (bien que vous ne soyez ni Shakespeare ni Marc Antoine) c'est VOUS, l'acteur, qui allez remporter ce succès; ensuite, seulement, appliquez-vous à mémoriser les mots. Alors, véritablement, ils vont se mettre à « vivre » pour vous.

Certains artistes, avant d'entrer en scène, font une sorte de prière et donnent ensuite une représentation vraiment INSPIRÉE. *L'esprit du public reconnaît naturellement l'esprit de l'artiste et y répond.*

Le manque de mémoire (« l'étourderie »). Si le trouble n'est pas dû à un choc ou à une amnésie que l'on peut soigner médicalement, l'étourderie tient généralement au fait *que l'on pense à une chose en en faisant une autre.* Et quand on ne pense pas à ce que l'on fait, on le fait mal !

Étant donné qu'il s'agit *bien* d'une habitude, le seul véritable remède est d'établir une habitude inverse. Lorsque vous pensez, CONSACREZ TOUTE VOTRE ATTENTION À CETTE PENSÉE. Si vous prenez des notes concernant vos pensées, ne prêtez pas attention à autre chose pendant ce temps. Lorsque vous vous livrez à une activité physique, ACCORDEZ UNE ATTENTION CONSTANTE À CE QUE VOUS FAITES. Si vous marchez, tirez de la marche tout le profit possible. Si vous faites un paquet, intéressez-vous à ce que vous faites et mettez un point d'honneur à le faire bien. Quand vous vous adressez à une personne, *assurez-vous qu'elle vous consacre également toute son attention.*

PRATIQUEZ QUOTIDIENNEMENT VOTRE TRAVAIL DE FONDATION ET VOTRE RELAXATION CRÉATRICE.

À la fin de chaque séance, quand vous êtes totalement relaxé, VISUALISEZ LES PRINCIPAUX ÉVÉNEMENTS DE LA JOURNÉE QUI S'ANNONCE. VOYEZ-VOUS POSITIF, ATTENTIF. *Inscrivez l'image dans un cercle, contemplez-la, laissez-la s'estomper.*

Le bidule. Il est inutile d'y impliquer votre Moi Supérieur, mais le principe demeure le même.

Quel que soit l'objet, il est souhaitable que vous en compreniez l'utilité; cherchez ensuite à quoi sert chacune des pièces visibles. Inutile de tout démonter, mais si vous parvenez à comprendre le fonctionnement de l'engin, la plupart des noms que vous êtes censé savoir deviendront évidents ou seront faciles à retrouver.

Si vous devez un jour faire réparer votre voiture, votre avion, votre machine à calculer ou à écrire, il sera intéressant de pouvoir utiliser le mot exact, d'employer la terminologie consacrée. Le technicien saura aussitôt qu'il a devant lui une personne intelligente qui comprend quelque chose à sa machine et qui n'aura sans doute pas fait une manœuvre erronée. Ainsi, vous obtiendrez automatiquement le meilleur service possible.

Les anniversaires de la famille. C'est là un domaine où vous pouvez tirer pleinement parti des techniques de Visualisation Créatrice, d'une manière qui réjouira tous les intéressés; et cela dépend uniquement du temps que vous pouvez y consacrer.

La plupart des personnes tentent de s'en tirer en notant les dates des anniversaires sur un agenda spécial ou dans un carnet. *Et puis elles oublient de consulter l'agenda ou le carnet.*

L'ennui, bien sûr, avec ces dates importantes,

c'est qu'elles semblent n'avoir aucun rapport avec les intéressés. Certains individus retiennent mieux les dates que d'autres parce qu'ils ont le chic pour découvrir des petits faits et de les rattacher à leur univers personnel. « Jamais je n'oublie l'anniversaire de tante Suzie parce qu'il fait toujours un peu *trop froid* pour que je porte une robe d'été », par exemple; ou encore : « Comment *pourrais-je* oublier les cadeaux de fin d'année pour Jack ? Un pour Noël et un autre pour son anniversaire. »

MAIS IL EXISTE UN MOYEN PLUS EFFICACE, POSITIF ET CRÉATIF POUR RETENIR CES DATES IMPORTANTES – CAR IL *EXISTE* UN LIEN ENTRE CES DATES ET LES PERSONNES INTÉRESSÉES !

Avez-vous jamais songé à une approche astrologique de la question ? Si vous possédez déjà des notions d'astrologie, vous n'avez pas besoin de lire ces lignes; sinon les dates d'anniversaire sont un excellent prétexte pour se plonger dans ce sujet fascinant.

Commencez par le « B-A-Ba » avec un texte sérieux sur les signes du Zodiaque et l'astrologie. Vous découvrirez que certains signes correspondent à des personnes que vous connaissez comme s'il s'agissait de portraits personnels. D'autres moins, car il faut également tenir compte des ascendants et des planètes dominantes. Mais là encore, l'essentiel est de fournir à votre mémoire des « fibres », des points de repère. *Lorsque vous serez parvenu à* ASSOCIER *quelqu'un à sa date de naissance,* VOUS VOUS EN SOUVIENDREZ !

Vous pouvez, si vous en avez le goût, mettre vos découvertes en vers. Il n'est pas indispensable de composer des alexandrins ! Les rimes constituent pour la mémoire une aide précieuse qui a fait ses preuves depuis des siècles, vous pouvez composer quelque chose comme :

Le vingt-deux avril,
Quand en Bélier est le Soleil,
On ne perd pas le fil
Et on fête tante Mireille.

Le premier août, Lune en Verseau
Anniversaire d'oncle Marceau.

Et nous en arrivons maintenant à la PARTIE CRÉATRICE DE CE QUE VOUS POUVEZ TIRER DE CE NOUVEAU SAVOIR. Grâce à ces connaissances, vos « vœux d'anniversaire » seront bien plus originaux !

Vous n'aurez pas oublié (cf. chapitre 6) que les méthodes ordinaires de la divination peuvent également être utilisées pour PRODUIRE UN EFFET SOUHAITÉ SUR UNE PERSONNE, en corrélation avec la Visualisation Créatrice (CONTINUEZ À LIRE CE QUI SUIT AVANT D'Y REVENIR !)

Tout comme pour les méthodes mentionnées dans ce chapitre, vous ne devez pas passer à quelque chose de complexe avec les symboles de l'astrologie tant que vous ne maîtrisez pas parfaitement ce que vous faites. Il existe cependant une différence :

Les symboles de l'astrologie n'ont pas le même pouvoir que ceux du Y King par exemple. Ils n'ont que le pouvoir que vous leur donnez. Ainsi, *et sous réserve de vous limiter à quelque chose de simple*, vous pouvez, si vous disposez d'un fort pouvoir de visualisation, faire du bien à quelqu'un grâce aux symboles de l'astrologie, avant même d'être expert en la matière. (VOUS DEVEZ Y PARVENIR PAR LE TRAVAIL DE FONDATION !)

Nous pensons souvent que notre signe zodiacal nous est « bénéfique »; après tout, il a présidé à notre naissance et nous lui « appartenons » comme un poisson est heureux dans l'eau ou un oiseau dans l'air. Il est donc opportun, pour l'anniversaire d'une personne, de visualiser et de charger de grâces son signe zodiacal, ou sa planète (en s'aidant de ses caractéristiques, comme la *Stabilité* pour Saturne, la *Prospérité* pour Jupiter, etc.).

Le néophyte en matière d'astrologie devra se limiter à ceci : visualiser le signe zodiacal ou planétaire au-dessus de la tête de la personne en cause, entourer toute l'image d'un cercle blanc, la charger de la Lumière du Moi Supérieur et « l'envoyer » au destinataire comme une bénédiction. Mais, en poussant l'étude plus avant, on peut s'ouvrir d'autres voies. Pour les anniversaires de mariage, par exemple...

Contrôle

8

Il faut avoir recours quotidiennement à la Relaxation Créatrice pour la partie « développement intérieur » de votre programme de Visualisation Créatrice.

– Pour vous débarrasser d'une mauvaise habitude comme celle de fumer :

1. Conservez une occupation mentale et physique : Le Travail de Fondation est pour cela d'une aide précieuse.

2. Déterminez les principaux motifs qui vous poussent à conserver cette habitude.

3. Déterminez les principaux motifs qui vous poussent à y renoncer.

4. Introduisez dans la phase finale de votre Relaxation Créatrice quotidienne une formulation émotionnelle simple et GÉNÉRALE pour lutter contre cette habitude.

5. Après quelques séances, introduisez une formulation émotionnelle simple, mais SPÉCIFIQUE, pour lutter contre cette habitude.

5a. En cas d'opposition de votre Moi Inférieur, vous devez découvrir les raisons qui poussent votre nature émotionnelle à s'y accrocher. Ceci implique une analyse de vos rêves.

6. Lorsque ne se manifeste aucune réaction d'opposition, recréez (toujours à la phase finale de votre Relaxation Créatrice quotidienne) la situation type dans laquelle vous tombez le plus facilement dans cette habitude. « Vivez » cette situation en la visualisant, mais SANS tomber dans l'habitude. Chargez l'image visualisée de votre moi victorieux.

– Pour améliorer votre mémoire :
Évitez de penser à une chose pendant que vous en faites une autre. TROUVEZ DES MOYENS de donner un *sens* aux *faits* : donnez des points de repère à votre mémoire.

– Pour les anniversaires et autres dates à retenir, ayez recours à l'astrologie simple pour donner un *sens* à ces *dates*.

– Utilisez la technique de la « divination à l'envers » (cf. chapitre 6) pour animer les symboles astrologiques de vos proches. (Vous devrez recourir au Travail de Fondation pour y parvenir !)

ANNEXES

POINTS D'ÉTUDE

A

Il est parfois nécessaire « d'arrêter » un programme particulier de Visualisation Créatrice – par exemple quand on a atteint son but, ou encore s'il devient nocif d'obtenir davantage que ce que l'on désirait.

Dans de tels cas, l'image visualisée doit être détruite et réabsorbée.

B

Afin de faire passer ses idées, on peut utilement avoir recours à la Relaxation Créatrice afin d'aligner les divers niveaux – physique, instinctuel, émotionnel, intellectuel et spirituel – pour que ce soit L'INDIVIDU TOUT ENTIER qui articule le message. Ainsi, la communication peut se faire d'Esprit à Esprit, d'Émotion à Émotion, de présence physique à présence physique etc., tous étant illuminés par la Lumière du Moi Supérieur.

C

Chacun a le droit d'avoir recours à la Visualisation Créatrice pour la satisfaction de ses besoins – car cette satisfaction résulte du seul développement des facultés naturelles, sans nuire à quiconque. Par la connaissance consciente des principes de la Visualisation Créatrice, on évite la manipulation inconsciente des événements par des émotions négatives. Mais ce n'est qu'en œuvrant avec et par le Pouvoir du Moi Supérieur que l'on peut parvenir à des résultats durables.

ANNEXE A

Comment terminer une
Visualisation Créatrice

Il convient d'envisager la manière de METTRE UN TERME au processus de Visualisation Créatrice lorsqu'on a obtenu en quantité suffisante ce que l'on désirait. Chacun connaît l'histoire de « l'Apprenti Sorcier » qui, après avoir enchanté un balai pour qu'il lui apporte des seaux d'eau, ne sait comment l'arrêter quand il en a suffisamment. Dans un autre conte, un serviteur découvre que son maître possède un moulin merveilleux. Ce moulin se met en marche quand on le lui commande et ne donne pas seulement du café ou du poivre mais aussi de l'or, des étoffes précieuses ou tout ce que l'on peut souhaiter. Un soir, au dîner, le sel manque à table; le serviteur s'empresse, avec les mots appropriés, de demander du sel au moulin. Une fois la maison à demi pleine de sel, il ne sait plus comment arrêter l'inlassable moulin et va le jeter à la mer, où il continue, encore actuellement, de produire du sel !

Toutes ces histoires de moulins, lampes,

bourses ou chaudrons magiques sont des images de l'abondance sans limites que déverse sur nous le Moi Supérieur si nous parvenons à le canaliser. Pourquoi, dans ce cas, souhaiter y mettre un terme ?

L'ennui, si ennui il y a, est le suivant : c'est le moi émotionnel et instinctuel, et non le moi rationnel, qui conditionne ce que déverse l'Abondance de l'univers. L'esprit rationnel, conscient, décide de la nature et de l'importance de ce qui est souhaité. Si le moi émotionnel et instinctuel « reçoit le message », tout est pour le mieux. Mais pour quelque crainte secrète ou toute autre motivation, il peut continuer à conditionner ce qui est reçu *comme il le souhaite* et non comme le décide l'esprit rationnel.

Le moi instinctuel et émotionnel peut fort bien devenir un autre roi Midas, dont la légende dit qu'il avait des oreilles d'âne, qui représentaient la nature inférieure, instinctuelle. Une autre légende raconte comment il souhaita que *tout* ce qu'il touchait se changeât en or, et comment il mourut de faim devant de la vaisselle d'or.

La nature inférieure PEUT commettre de telles erreurs. Souvenez-vous des ramures de l'élan irlandais (chapitre 3) !

Certes, vous recevrez des bienfaits si votre moi émotionnel et instinctuel aspire à la santé, au bonheur, et à la prospérité. Mais certains désirs, une fois exaucés, ne sont plus bienfaisants mais néfastes.

Un garçon timide aimerait séduire les filles sans qu'il soit besoin de les approcher au préalable. Sur l'instant, cela peut sembler intéressant; mais si les filles continuent à se jeter dans ses bras une fois qu'il est marié et père de famille, la situation peut devenir pénible. Et cela s'est déjà vu !

L'exemple qui suit est caractéristique d'une surabondance au sens plus littéral.

Une jeune femme qui n'avait pas fait un heureux mariage, se mit, comme beaucoup, à gagner de l'argent pour se consoler. Elle possédait, pour cela, plusieurs avantages : des aptitudes psychiques extrêmement développées, une grande intelligence et une bonne expérience professionnelle : célibataire, elle avait été la secrétaire du président de la commission des finances d'une importante société. Elle disposait donc de bien plus d'atouts que d'autres pour se livrer à son nouveau passe-temps. Elle apprit les principes de la Visualisation Créatrice et, avec le sentiment qu'elle était ainsi parfaitement guidée et protégée, elle se constitua une fortune impressionnante en quelques années.

Vers la cinquantaine, après avoir gagné bien plus d'argent qu'il ne lui en fallait pour vivre confortablement jusqu'à la fin de ses jours, elle décida de mettre un terme à ses activités financières. À son grand chagrin, des décès et des querelles de famille lui valurent quelques héritages. Elle fit l'acquisition d'une demeure historique avec un joli terrain, la fit remettre en état sans lui ôter son charme ancien et envisagea de s'y retirer. Elle fréquenta ses voisins mais ils ne tardèrent pas à remarquer qu'elle gagnait toujours aux tombolas organisées pour les bonnes œuvres, ce qui créa un certain malaise. Elle offrait les lots gagnés pour qu'on les remette en jeu, mais le mal était fait.

Quand on installa une base de l'armée de l'air à quelques kilomètres de là, elle y trouva un nouveau pôle d'intérêt, mais fut moins satisfaite quand, quelques années plus tard, on construisit près de sa propriété une route à grande circulation pour relier à la ville la plus proche la base qui prenait une expansion rapide. Peu après, elle constata que les terrains bordant la route étaient achetés par des spéculateurs; on construisit des habitations et des commerces, puis des usines, et l'environnement en fut rapidement altéré. Elle alla trouver les autorités locales, expliqua sa position et on la félicita chaleureusement pour la valeur croissante que prenaient sa maison et son terrain. Elle finit par ne plus avoir ni parents, ni amis, ni tranquillité. Il ne lui restait que des biens dont la valeur augmentait sans cesse mais qui ne l'intéressaient plus. Elle finit par vendre sa propriété pour aller vivre dans une luxueuse maison de retraite.

Qu'est-ce qui avait mal tourné dans sa vie ? Au lieu de considérer l'argent comme un moyen d'obtenir des bienfaits, comme un symbole de la force vitale, elle en avait fait *un substitut de l'amour.*

OR, RIEN NE PEUT REMPLACER L'AMOUR.

Fort heureusement, nul *n'a besoin* d'un substitut de l'amour. Même les plus solitaires peuvent, et doivent, prendre conscience des concessions réciproques de l'Amour Divin. À l'égard de tous les êtres, humains ou pas, physiques ou non, notre besoin de donner est toujours plus fort que celui de recevoir. Car plus nous donnons d'amour aux êtres, quels qu'ils soient, plus l'Amour Divin va se déverser en retour sur notre vie depuis notre Moi Supérieur. *Mais si nous faisons de quelque autre satisfaction un substitut de l'amour, nous ne parviendrons qu'à désirer davantage ce substitut car il est impossible de s'en SATISFAIRE.* Cela demeure vrai, que ce substitut soit l'argent, des biens, l'alcool, la gloire ou même le sexe.

C'est ainsi que cette femme, bien que lassée de gagner de l'argent et s'étant rendu compte, une fois âgée, qu'il ne lui était plus d'aucune utilité, n'en demeura pas moins incapable de convaincre son moi émotionnel et instinctuel d'arrêter. Elle persista dans ses habitudes bien qu'elles ne lui fussent plus d'aucun profit, et ces habitudes prirent un caractère destructeur, tout comme pour le roi Midas dans la légende ou pour l'élan irlandais dans la préhistoire.

Alexandra David-Neel, la célèbre voyageuse, apprit le mysticisme auprès des moines bouddhistes tibétains. Un jour, elle entreprit avec eux de façonner, à partir de la substance astrale, la forme d'un moine. Au début, cette entité artificielle revêtit les inoffensives nature et apparence qu'elle lui avait données, mais elle devint bientôt maléfique et menaçante. On informa Alexandra David-Neel que de telles entités peuvent devenir maléfiques si on les abandonne à elles-mêmes et, suivant les conseils qu'on lui prodigua, elle désintégra et réabsorba la substance astrale.

Ce sont là des manifestations qui dépassent le cadre de cet ouvrage. L'incident n'en conserve pas moins un rapport étroit avec notre sujet : selon Alexandra David-Neel, une image visualisée, que l'on a créée et animée dans un but louable, ne peut plus être contrôlée quand on ne l'utilise plus de façon active et devient – ou risque de devenir – nuisible à son créateur. Le remède consiste à le désintégrer et à en ré-absorber la substance.

C'est exactement le cas avec une image formée par la Visualisation Créatrice, si ce n'est que, d'ordinaire, lorsqu'on n'en veut plus, elle disparaît purement et simplement. La nature émotionnelle et instinctuelle va l'abandonner pour passer à une autre image proposée par l'esprit rationnel. Mais si l'esprit rationnel ne propose pas un nouvel attrait, ou du moins un attrait suffisant pour sortir les niveaux inconscients d'une attitude émotionnelle qui peut remonter à plusieurs années, il convient de prendre des mesures plus énergiques.

Lorsque vous avez des doutes, la méthode à utiliser est très simple.

Visualisez l'image dont vous souhaitez vous défaire. Enfermez-la dans un cercle blanc, comme pour une création. MAIS SANS LA CHARGER. *Après quoi, par un acte de volonté, désintégrez l'image, brisez-la en morceaux, faites-en une masse informe. Cette masse est alors* REFOULÉE *par le même point central du front où sont créées les images visualisées. Une fois refoulée, elle se dilue en vous comme l'eau dans la mer.* (N.B. La destruction d'une image purement astrale créée puis réabsorbée par le psychisme ne peut avoir aucune conséquence fâcheuse sur un être vivant ou un objet.)

Cette méthode est également efficace pour toute forme astrale simple qui peut affecter un individu. Nous en donnons ci-dessous un exemple qui montre comment il convient d'adapter paroles et actions à un but spécifique.

Une fillette avait une cousine méchante et envieuse, plus âgée de quelques années, qui, pour lui faire peur, prétendit posséder des pouvoirs surnaturels et tenta de lui « jeter un sort ». Tandis qu'elle devenait, avec l'âge, une mignonne adolescente, la jeune fille se mit à souffrir de troubles nerveux qui la gênèrent considérablement dans sa vie quotidienne. Convaincue que la cause en était imputable au « sort » jeté par sa cousine, elle répondait, quand on lui demandait pourquoi : « Parce que chaque fois que je ferme les yeux je la vois qui me regarde ! »

On l'aida à prendre conscience que chacun est, dans sa nature essentielle, à la fois un être aimant et digne d'être aimé. La cousine, trompée par des émotions et des sentiments négatifs, s'était créé une apparence de haine et avait court-circuité l'aura défensive de sa cadette en l'amenant à recréer cette apparence

dans son propre psychisme. Il fallait maintenant que la jeune fille extériorise cette apparence en la visualisant et en disant à haute
voix : « Ce n'est pas ma cousine, qui est en
fait une personne aimable et aimante. » Ce
qu'elle fit avant de désintégrer la forme en la
visualisant, de la réabsorber en reconnaissant
qu'il ne s'agissait que d'une partie de son moi
astral et de conclure en demandant des grâces
pour sa cousine.

Il lui fallut recommencer avant que son Moi
Inférieur soit complètement libéré d'une
crainte qui remontait à l'enfance, mais la
deuxième séance se traduisit par un succès
complet et ses troubles nerveux disparurent.

ANNEXE B

Comment permettre aux autres de voir votre vision

Vous souhaitez que d'autres sachent ce que vous savez, partagent votre foi en quelque chose, comprennent ce que vous comprenez, voient ce que vous voyez; et vous souhaitez que ces autres personnes *agissent* sur cette connaissance, cette foi, cette compréhension, cette vision.

Vous souhaitez réaliser cela de façon régulière et non comme un unique miracle.

VOUS POUVEZ Y PARVENIR.

Si vous êtes enseignant, prédicateur, homme politique, avocat, conférencier, démonstrateur, vendeur, enfin « homme de communication », PRATIQUEZ FRÉQUEMMENT LA RELAXATION CRÉATRICE.

Si vous n'êtes rien de cela, CONTINUEZ *néanmoins à lire ce qui suit !* Cela vous sera utile pour être reconnu à votre juste valeur dans votre travail, pour inculquer vos principes à vos enfants ou être apprécié pour vous-même dans d'autres situations. Mais cette annexe est plus particulièrement destinée aux professionnels de la communication car la Relaxation Créatrice les aidera à réussir.

Comment, donc, FAIRE PASSER vos idées ?

Pratiquez fréquemment la Relaxation Créatrice NON SEULEMENT pour être totalement relaxé à la fin de chacune des séances, mais une fois par semaine au moins, *davantage* si vous le pouvez, POUR VOUS LIVRER EXCLUSIVEMENT À LA VISUALISATION ET AUX SOUHAITS DE BIEN-ÊTRE POUR CHACUNE DES PARTIES DE VOTRE CORPS.

Avant de passer à ce que vous souhaitez réaliser, songez à la façon dont cette pratique agit sur vous EN TANT QU'INDIVIDU en vous apportant force, énergie et *unité*;

Aucun messager ne doit s'immiscer entre le message et le destinataire; mais, paradoxalement, c'est bien ce qui va se produire si un messager est *négatif* !

Prenons le cas d'un jeune homme qui, vivement recommandé pour ses qualités, devait occuper après un stage un poste de confiance dans l'administration. Un jour, tout à fait incidemment, on lui demanda d'aller remettre une somme d'argent peu importante à un haut fonctionnaire qu'il n'avait encore jamais rencontré.

Quand il arriva, l'homme était au téléphone; hésitant quant à la conduite à tenir, notre stagiaire tenta de croiser le regard du fonctionnaire pour attirer son attention, crut y être parvenu, posa l'argent sur le bureau et regagna son poste. Plus tard, on chercha ce qu'était devenu cet argent. Peut-être le fonctionnaire l'avait-il distraitement mis quelque part et oublié, peut-être avait-on posé quelque chose dessus ou peut-être quelqu'un d'autre l'avait-il pris. Mais nul ne put dire où il était passé et quand le jeune stagiaire déclara que le fonctionnaire *l'avait vu* poser l'argent sur son bureau, on ne put non plus le confirmer.

On ne porta contre lui aucune accusation, mais il fut bientôt muté à un autre poste. *Quelle faute avait-il commise ?* Manque de confiance en soi, réaction négative ? IL N'AVAIT PAS « FAIT PASSER » SON MESSAGE.

VOUS, bien sûr, avez appris à communiquer. Vous avez été entraîné à vous exprimer clairement, avec conviction, avec persuasion. *Où cela vous mène-t-il ?*

Nombre de personnes consacrent une grande partie de leur temps libre *à se laisser divertir* par d'autres qui s'expriment clairement, avec conviction, avec persuasion. Et, avec le temps, ces personnes ont de plus en plus de mal à accepter ce qu'elles voient ou entendent.

PEUT-ÊTRE ÊTES-VOUS UN ORATEUR BRILLANT, MAIS À MOINS D'ÊTRE PROFESSEUR D'UNIVERSITÉ, VOUS N'AVEZ PROBABLEMENT PAS DEVANT VOUS UN GRAND NOMBRE D'AUDITEURS. (ET SI VOUS ÊTES PROFESSEUR D'UNIVERSITÉ, IL NE VOUS EST PROBABLEMENT PAS FACILE DE RETENIR LEUR ATTENTION !)

Voilà pourquoi vous avez besoin de la Relaxation Créatrice pour harmoniser les différents niveaux de votre moi – physique, ins-

tinctuel, émotionnel, intellectuel et spirituel –
pour donner réalité à votre message, avec
votre MOI tout entier.

*Si votre message doit être positif, vous
devez être positif.*

*Si votre message doit être dynamique, vous
devez être dynamique.*

Vous comprendrez, bien sûr, qu'il ne s'agit
là que d'un début, mais il est NÉCESSAIRE.

En tant que messager, il vous faut la santé,
l'énergie, le magnétisme. Tout ce qui, en vous,
pourrait être froid ou distant, SERA MAL RESSENTI
DANS VOTRE MESSAGE !

Nous sommes l'objet de tant de sollicitations
futiles que souvent nous avons tendance à
fermer notre esprit à des arguments rationnels,
voire évidents. Mais les portes de nos instincts,
de nos émotions et de nos perceptions inconscientes *ne peuvent être aussi facilement refer-
mées.*

Vous trouverez dans ce qui suit des considérations importantes sur le *mécanisme et
l'éthique de ces méthodes de persuasion.*

Vous souhaitez que votre argument rationnel
soit rationnellement accepté. Vous souhaitez
que vos interlocuteurs soient heureux d'avoir
rationnellement examiné et accepté le message
que vous avez voulu leur transmettre.

MAIS CE NE PEUT ÊTRE RATIONNELLEMENT ACCEPTÉ
QUE SI CELA A ÉTÉ HONNÊTEMENT EXPOSÉ.

*Comment vous assurer que c'est honnête-
ment exposé ?*

PAR L'ATTRAIT CONJUGUÉ DE VOS INSTINCTS, ÉMO-
TIONS, PERCEPTIONS INCONSCIENTES, PAR VOTRE
ESPRIT RATIONNEL ET VOTRE PRÉSENCE PHYSIQUE –

PAR VOTRE MOI INTÉGRAL – SUR LE MOI INTÉGRAL DE VOS INTERLOCUTEURS OU AUDITEURS, ESPRIT AVEC ESPRIT, NATURE ÉMOTIONNELLE AVEC NATURE ÉMOTIONNELLE, PRÉSENCE PHYSIQUE AVEC PRÉSENCE PHYSIQUE, ETC.

VOTRE MESSAGE VA ÉGALEMENT SE TROUVER ACTIVÉ PAR LA LUMIÈRE DE VOTRE MOI SUPÉRIEUR.

La batterie de persuasion que nous vous avons proposée est si puissante que vous allez immédiatement vous poser la question de sa justification éthique.

Nous avons dû, nous aussi, nous assurer de cette justification, en décidant de mettre cet instrument particulièrement puissant de persuasion entre les mains du public. En présentant un ouvrage de Visualisation Créatrice sans ce chapitre, nous aurions pu faire passer implicitement le message, mais le présent chapitre le rend explicite.

Peu d'auteurs ont su traiter ce sujet, et encore n'ont-ils fait que l'effleurer, en ayant recours aux allusions, aux énigmes et aux langues mortes (latin ou grec) pour masquer leur ignorance. *Ce n'est pas ainsi que l'on peut protéger ces immenses pouvoirs !*

Il convient tout d'abord de dire clairement que rien ne justifie que l'on pousse quelqu'un à adhérer à une quelconque organisation, ou à se rallier à une quelconque opinion. En d'autres termes, si votre interlocuteur a pu entendre un honnête exposé des faits et ne se rallie toujours pas à votre thèse, vous pouvez, certes, tenter de le convaincre si les circonstances s'y prêtent par la suite, mais vous ne devez pas, entre-temps, l'amener à dire ou à faire quelque chose contre son gré.

Cette règle n'est, le plus souvent, qu'une illustration de celle qui vous a déjà été donnée pour parvenir à une Visualisation Créatrice efficace, *où ne doit pas être précisée de source matérielle particulière pour obtenir ce que l'on souhaite.*

Pour illustrer ce qui précède, prenons l'exemple d'un vendeur qui, par sa Visualisation Créatrice, s'est fixé un chiffre élevé de commission. C'est là, en soi, un désir tout à fait honnête. Ce vendeur a également parfaitement le droit, ayant visualisé ce but, de faire de son mieux pour que ses ventes lui permettent de l'atteindre. IL N'A CEPENDANT PAS LE DROIT DE CONTRAINDRE QUICONQUE À ACHETER.

Une jeune femme avait l'habitude de dépenser beaucoup d'argent en vêtements. Arriva un jour où, à la suite de revers, elle dut se montrer moins prodigue.

Elle en fut d'abord très affectée, d'autant qu'il lui fallait une nouvelle robe. Elle ignorait tout de la Visualisation Créatrice mais décida, pour se remonter le moral, d'aller faire un tour dans l'un de ses magasins de luxe favoris. Elle pourrait en goûter l'atmosphère, y prendre une tasse de café et essayer quelques robes. Ainsi, elle verrait ce qui lui plaisait et trouverait plus tard quelque chose d'approchant mais de moins cher dans un autre quartier. D'ailleurs, dans ce magasin où elle avait ses habitudes, on ne la pressait pas d'acheter sur-le-champ.

Pourtant, cette fois, à peine avait-elle regardé

quelques robes qu'une vendeuse s'approcha avec l'intention manifeste de lui vendre aussitôt quelque chose. La jeune femme lui répondit qu'elle ne voulait rien acheter, qu'elle voulait seulement jeter un coup d'œil pour se faire une idée de la robe qui irait le mieux avec le manteau dont elle ferait l'acquisition plus tard.

— Notre nouvelle collection de manteaux vient d'arriver, lui dit la vendeuse. Venez donc les voir, ils sont vraiment superbes !

Un regard aux luxueux vêtements de sa cliente lui avait fait espérer quelques achats importants et une bonne commission pour elle-même.

Elle se montra si pressante que la jeune femme, qui n'aurait même pas osé acheter un foulard, se trouva bientôt en train d'essayer une robe, un somptueux manteau, des chaussures ainsi qu'un chapeau, un sac, une écharpe et des gants assortis.

— Regardez comme cela vous va bien, susurra la vendeuse.

— Je ne *peux* rien acheter aujourd'hui. Je voulais seulement jeter un coup d'œil, et je n'ai pas pris mon carnet de chèques, protesta la victime.

La vendeuse, songeant aux griffes prestigieuses qu'elle avait remarquées dans la cabine d'essayage, prit aussitôt sa décision.

— Par ici, je vous prie, murmura-t-elle.

Derrière un paravent se trouvait une petite table avec de quoi écrire. La vendeuse ouvrit un tiroir et en tira un carnet de chèques en blanc.

– Quelle est votre banque ? demanda-t-elle.

La femme n'entrevit son salut que dans la fuite.

– Il fait trop chaud ici, s'écria-t-elle. Je me sens mal. Il faut que je prenne l'air !

Elle se précipita dans la cabine d'essayage, se débarrassa vivement des gants, de l'écharpe, du chapeau, passa son manteau, ramassa son sac et fila. Il fallut à la vendeuse un certain temps pour comprendre qu'elle avait là, par terre, une robe et une paire de chaussures, belles mais usagées, à la place de celles qu'elle avait quasiment contraint la cliente à essayer. Elle ne put que rapporter l'incident au chef de rayon, mais la « voleuse » ne reparut jamais, trop effrayée, même, pour rapporter les chaussures.

C'est une histoire vraie ! Pensez-vous que rien de tel ne pourrait se produire dans le monde des affaires ? C'est pire encore. Des signatures « arrachées » se sont traduites par des faillites et des suicides; des vies entières ont été gâchées à cause d'un « mauvais départ » dans l'existence pour des personnes ayant accepté un choix qui n'était pas le leur, qu'il s'agisse de religion ou d'études.

Comment, en étant conscients de cela, pouvons-nous offrir à N'IMPORTE QUI l'accès à des moyens de persuasion aussi puissants ?

La réponse est simple. Nous admettons que, par cupidité ou par erreur, certains puissent causer du tort à d'autres simplement en se créant des images astrales. Malheureusement, cela se voit tous les jours, que l'on comprenne ou non les principes de la Visualisation Créatrice. Ceux qui ont recours à des pressions excessives par la représentation d'images astrales peuvent pendant un temps y trouver argent et prestige; mais ils courent un risque : le monde spirituel ne leur garantit rien et les revers sont souvent rapides, inattendus et définitifs.

L'on ne peut efficacement FAIRE APPEL à son Moi Supérieur que si l'on est en accord avec sa conscience. Ainsi que nous l'avons précisé au chapitre 5, *la conscience fait partie du Moi Inférieur mais elle a le pouvoir de fermer la porte de communication avec le Moi Supérieur.* Et nous savons qu'elle n'y manque jamais lorsqu'il est fait mauvais usage des méthodes que nous indiquons ici.

Nous pouvons donc passer sur ces aspects négatifs de la question et poursuivre dans ce qu'elle a de positif et même de radieux.

VOUS ÊTES CONVAINCU DE POUVOIR, À TRAVERS DES BIENFAITS SPIRITUELS, INTELLECTUELS OU MATÉRIELS, APPORTER DAVANTAGE DE BONHEUR ET DE RÉUSSITE DANS LA VIE DES AUTRES. Votre bonheur personnel est aussi en cause.

Pour que ce pouvoir soit bienfaisant pour les autres comme pour vous-même, IL FAUT QU'ILS PUISSENT LE RECONNAÎTRE ET L'APPRÉCIER COMME VOUS LE RECONNAISSEZ ET L'APPRÉCIEZ VOUS-MÊME.

Par la pratique fréquente de la Visualisation Créatrice, vous êtes devenu un messager efficace. Il vous faut maintenant formuler le contenu du message et lui insuffler de l'énergie; *vous pouvez également y parvenir par la Relaxation Créatrice si vous le souhaitez, ou par des séances de Visualisation Créatrice si vous jugez préférable de le faire séparément.*

Si vous avez recours à la Relaxation Créatrice, l'activité va naturellement s'exercer lors de la phase finale de la séance, alors que vous êtes complètement relaxé; il convient, essentiellement, de procéder de la même façon qu'en position assise. *Quelle que soit la position,* VEILLEZ BIEN À POURSUIVRE LA RESPIRATION RYTHMIQUE, très efficace pour lier les niveaux astral et matériel.

Parez votre esprit des aspects les plus séduisants, éloquents et avantageux que vous souhaitez porter à l'attention des autres.

Visualisez maintenant une image de VOTRE VISION telle que vous voulez que les autres la voient. Peu importe si, telle que vous la voyez maintenant, elle vous paraît plutôt surchargée de couleurs ou trop intense. *Vous devez œuvrer avec votre nature émotionnelle pour atteindre la nature émotionnelle des autres, ce qui est tout à fait différent du travail de l'esprit rationnel.*

SOYEZ ÉMU PAR CE QUE VOUS VISUALISEZ. NE CRAIGNEZ PAS D'ÊTRE ÉMU OU HONTEUX DE CE QUE VOUS VISUALISEZ. Soyez enthousiaste, passionné. Soyez CONSCIENT de tout le bien que cela peut apporter, de tout le bien que cela VA apporter. Voyez en votre souhait toutes les excellentes caractéristiques que vous venez d'énumérer mentalement.

Imaginez à vos côtés d'autres personnes – un homme, une femme, un groupe d'hommes ou de femmes mais PAS QUELQU'UN DE PARTICULIER. Vous leur montrez votre vision, ils voient tout ce qu'elle a de bénéfique. Ils SAVENT que c'est vrai !

Entourez le principal objet de votre vision d'un cercle blanc. Maintenant, par la méthode que vous préférez parmi celles qui ont été données au chapitre 4, emplissez-vous de la Lumière de votre Moi Supérieur et chargez l'image encerclée de sorte qu'elle irradie à la limite du cercle blanc. Conservez auprès de vous, en train de la regarder également, les personnes que vous avez imaginées. *Voyez-la tout à la fois splendide, désirable, satisfaisante.* Si vous pouvez exprimer cela en quelques mots, à haute voix, faites-le ! Laissez ensuite l'image s'estomper lentement.

Lorsque vous aurez fait cela plusieurs fois, *vous aurez formé une image précise dans le monde astral.* (Ne changez donc rien !) Vous aurez également imprimé très clairement cette même image dans votre corps astral et, par la même occasion, dans votre nature émotionnelle. Vous n'avez pas seulement CRÉÉ cette image dans le monde astral, vous avez aussi établi votre propre lien avec elle.

En insufflant à cette image la Lumière de votre Moi Supérieur, vous lui avez conféré une durée, de sorte qu'elle ne va pas dériver et se modifier comme c'est parfois le cas pour des images purement astrales. Toute personne dotée d'une faculté de voyance verrait immédiatement cette image comme une véritable scène astrale (ce qu'elle est, maintenant) et ressentirait les qualités bénéfiques que vous avez associées à cette vision.

La voyance n'est qu'une perception particulière de *ce qui est*. VOTRE CRÉATION ASTRALE EST TOUT AUSSI RÉELLE POUR QUELQU'UN QUI NE POSSÈDE AUCUN DON DE VOYANCE.

(Ne vous y trompez pas, bien que cela soit parfois troublant. Si deux personnes pénètrent dans une pièce sombre où se trouve une table, et que l'une des deux voit dans l'obscurité et l'autre pas, la table est tout aussi présente pour celui qui ne la voit pas et qui en aura la preuve en la heurtant !)

En outre, par l'image « réciproque » qui se trouve dans votre psychisme, vous conservez prise sur la réalité astrale bien plus que si vous tentiez de retenir un cerf-volant par sa ficelle.

Quand vous parlerez à d'autres de ce sujet, N'EN PARLEZ PAS DE FAÇON ABSTRAITE. Parlez de CETTE VISION, de cette image que vous avez vue et que vous voulez leur permettre de voir. Inutile d'utiliser toujours les mêmes mots pour en parler, mais n'oubliez pas certaines des expressions que vous y avez associées. Décrivez la vision. Assurez-vous que vous leur permettez de la voir, que vous en faites *également leur vision*. CELA VA MARCHER.

POUR OBTENIR DE MEILLEURS RÉSULTATS, PRATIQUEZ QUOTIDIENNEMENT LA VISUALISATION CRÉATRICE ! *Un vendeur, par exemple, peut se fixer un objectif — une somme d'argent — et le visualiser tous les jours; une « vision » hebdomadaire de ce qu'il vend le rendra encore plus enthousiaste dans son travail.*

Il est utile, ici, de faire une importante distinction. Le vendeur PARLE *de l'objet de son travail de « vision »; c'est là son but principal !* IL NE PARLE PAS de sa Visualisation Créatrice personnelle. Il ne se promène pas en répétant : « Je vais vendre cinq voitures de plus en un temps record et je vais pouvoir m'acheter une maison ! » Ce serait là une manière erronée de pratiquer la visualisation – et si un client l'entendait, ce serait tout à fait mauvais psychologiquement !

OUTRE CES DEUX PRATIQUES DIFFÉRENTES, N'OU-BLIEZ PAS DE PRATIQUER AU MOINS UNE FOIS PAR SEMAINE LA RELAXATION CRÉATRICE SANS « TRAVAIL DE VISION ». CELA VOUS ENRICHIRA PSYCHOLOGIQUE-MENT !

ANNEXE C

La lampe radieuse de la Connaissance

La Sagesse n'est que la Sagesse.

On peut la croire orientale ou occidentale, selon les philosophies ou les religions. Mais l'essentiel se situe bien au-delà de cette limite. Traditionnellement, les esprits les plus sages sont souvent considérés comme suspects, et la vérité spirituelle contenue dans ces paroles *va bien au-delà de leur contexte.* Il est toujours souhaitable de comprendre quel but visait à l'origine l'énonciation de telle ou telle sagesse; mais, de par sa nature, elle fait intervenir une perception spirituelle qui dépasse de beaucoup ce but.

Les textes sur la sagesse qui ont un rapport avec la Visualisation Créatrice ne sont pas toujours complets. Parfois, les maîtres eux-mêmes n'en ont peut-être pas eu conscience; dans de nombreux cas, les mystiques ne se souciaient pas le moins du monde d'une possible réalisation matérielle; dans d'autres cas encore, les maîtres souhaitaient garder secrets

Nous pensons qu'on ne doit pas continuer à garder le secret, pour trois raisons :

1. Vous avez besoin de biens matériels ou d'un développement intérieur qui peuvent être obtenus par la Visualisation Créatrice mais qu'il serait vain d'espérer d'un événement ordinaire.

Par la pratique de la Visualisation Créatrice, vous y pourvoyez UNIQUEMENT PAR LE DÉVELOPPEMENT DE VOS FACULTÉS PERSONNELLES ET LE RECOURS À CES FACULTÉS.

2. La force spirituelle se traduit sans cesse par une manifestation matérielle (et en découle, qu'il y ait ou non intervention humaine consciente dans l'opération).

Nous voyons également bien souvent des hommes provoquer des catastrophes pour eux-mêmes ou pour les autres, en influant *inconsciemment* sur le cours des événements par des émotions négatives. *Il serait préférable que chacun le comprenne.*

3. CE N'EST QU'EN ŒUVRANT AVEC LE POUVOIR DE VOTRE MOI SUPÉRIEUR ET À L'INTÉRIEUR DE CE POUVOIR QUE VOUS POUVEZ VOUS ASSURER DES RÉSULTATS DURABLES.

Notre but est donc de rassembler dans cette annexe des textes, dont certains ont déjà été cités dans cet ouvrage, qui montrent, à travers le mysticisme, *soit* les vérités spirituelles qui se trouvent sous la Visualisation Créatrice, *soit* les effets de l'application pratique de ces vérités, qu'ils soient ou non la conséquence de la visualisation.

Le premier extrait est tiré de *Black Elk Speaks; being the Life Story of a Holy Man of the Oglala Sioux, as told to John G. Neihardt* (Élan Noir parle, ou la Vie d'un saint homme de la tribu des Sioux oglala rapportée par John G. Neihardt), New York, Pocket Books, 1973. Replacez-vous dans un contexte hautement spirituel pour comprendre le passage suivant :

« Cheval Fou rêva et partit pour le monde où n'existent que les esprits de toutes choses. Il s'agit du monde réel qui se trouve derrière celui-ci, et tout ce que nous voyons dans celui-ci n'est qu'une ombre de celui-là... Ce fut cette vision qui lui donna sa grande puissance... »

Ailleurs, dans le même ouvrage, John G. Neihardt précise, dans une note, qu'Élan Noir ne savait pas lire et ignorait tout de ce qui se passait dans le monde.

La citation suivante est tirée de Plotin (né en Égypte vers 205 après J.-C.) :

« On peut également percevoir la grandeur de l'intelligence de la façon suivante : nous admirons la grandeur et la beauté du monde sensible, la régularité éternelle de ses mouvements, les êtres visibles et invisibles qui le peuplent, ses esprits terrestres, ses animaux et ses plantes. Élevons donc au niveau de ce modèle la réalité supérieure d'où ce monde tire ses origines et contemplons tout le déploiement des intelligibles qui possèdent éternellement leur intelligence et leur vie inaliénables. Y président la pure Intelligence et l'incroyable Sagesse. » (Plotin, *Ennéades, V.1.*)

Le *Ratnamegha Sutra*, document du bouddhisme Mahayana, rapporte ce qui suit à propos du bodhisatva. (Un bodhisatva est un être réincarné pour aider le genre humain.)

« Le bodhisatva, examinant minutieusement la nature des choses, demeure dans l'omniprésente attention de l'activité de l'esprit; ainsi ne tombe-t-il pas sous le contrôle de l'esprit, mais c'est l'esprit qui tombe sous son contrôle. Et avec l'esprit sous son contrôle, tous les phénomènes sont sous son contrôle. »

Nombre de textes bouddhiques, de par leur façon d'aborder intellectuellement le sujet, peuvent laisser croire à ceux qui connaissent mal le bouddhisme qu'il s'agit d'une philosophie sans chaleur. En fait, aucun mode de vie qui conduit à l'édification, à la lumière, n'est dépourvu de chaleur. Nous changeons toutefois de registre avec la chanson d'un mystique persan qui décrit comment atteindre le but sublime. La *Courbe du Terdjih* a été écrite au XVIIIe siècle par Ahmed Hatif; notre extrait est tiré de la version Aurum Solis, reprise dans le Volume V de *La Philosophie Magique* :

QUAND TOUT CE QUE VOUS VOYEZ
VOUS VOIT AVEC AMOUR,
TOUT CE QUE VOUS AIMEZ,
VOUS LE VERREZ BIENTÔT.

Depuis des siècles, les érudits débattent de la rivalité entre Amour et Connaissance, mais le mystique sait qu'en matière de choses divines le débat est sans objet car les deux sont inséparables.

Le saint musicien hindou du Moyen Âge Pey de Mylapore déclare :

« Éclairant dans mon cœur la lampe radieuse de la connaissance, je L'ai cherché et capturé : doucement, le Seigneur des Miracles est entré dans mon cœur et y est demeuré pour ne plus en partir. »

Du Nouveau Testament nous tirons ces paroles essentielles :

« Le royaume de Dieu est au milieu de vous. » (*Luc, ch. XVII, verset 21.*)

« Cherchez premièrement le royaume et la justice de Dieu; et toutes ces choses vous seront données par-dessus. » (*Matthieu, ch. VI, verset 33.*)

Et voici ce que l'on pourrait qualifier d'*Évangile de l'Abondance* :

« Demandez et l'on vous donnera; cherchez et vous trouverez; frappez et l'on vous ouvrira. Car quiconque demande reçoit, car celui qui cherche trouve, et l'on ouvre à celui qui frappe. Lequel de vous donnera une pierre à son fils s'il lui demande du pain ? Ou, s'il demande un poisson, lui donnera-t-il un serpent ? Si donc, méchants comme vous l'êtes, vous savez donner de bonnes choses à vos enfants, à combien plus forte raison votre Père qui est dans les cieux donnera-t-Il de bonnes choses à ceux qui le demandent. Tout ce que vous voulez que les hommes fassent pour vous, faites-le de même pour eux, car c'est la loi et les prophètes. » (*Matthieu, ch. VII, versets 7 à 12.*)

On pourrait citer d'autres passages (cf. chapitre 4) reprenant notre thème comme un fil à travers la tapisserie complexe du Nouveau Testament, mais les deux suivants suffiront :

« Si vous aviez la foi comme un grain de sénevé, vous diriez à cette montagne : transporte-toi d'ici là, et elle se transporterait; rien ne vous serait impossible. » (*Matthieu, ch. XVII, verset 20.*)

« Donnez et il vous sera donné : on versera en votre sein une bonne mesure serrée, secouée et qui déborde; car on vous mesurera avec la mesure dont vous vous serez servi. » (*Luc, ch. VI, verset 38.*)

Ce qui précède est le fondement du conseil célèbre de *John Wesley* :

« Gagnez tout ce que vous pourrez. Donnez tout ce que vous pourrez. »

Pour en revenir au pouvoir de l'imagination visuelle sur les phénomènes matériels, nous nous référons de nouveau au *Dr O. Carl Simonton* (cf. chapitre 6) en ce qui concerne l'activité psychique observée chez des malades dont l'état s'améliorait de façon inespérée :

« ... l'important était ce qu'ils se représentaient et la façon dont ils voyaient les choses. Ils se montraient positifs, sans considération de la source, et leur image était très positive. »

(Bien qu'il existe de nombreux récits sur la puissance de l'imagination visuelle – fait accepté par les mystiques et les occultistes –, il nous est apparu de la plus grande importance de citer encore les recherches et les preuves apportées par ce médecin quant à la disparition des symptômes de graves maladies qui frappaient les prophètes eux-mêmes.)

Évoquons enfin, à propos du pouvoir profond de la Visualisation, les formules bouddhistes de l'Affirmation – les Mantras. Et laissons le mot de la fin au roi Alfred le Grand :

SI QUELQUE CRAINTE T'ASSAILLE,
N'EN DIS RIEN À QUELQUE POLTRON.
SOUFFLE-LA AU POMMEAU DE TA SELLE
ET CONTINUE À CHEVAUCHER EN CHANTANT !

ANNEXE D

La Visualisation Créatrice
dans la prière et l'adoration

Le recours à la Visualisation Créatrice, dans la prière et l'adoration, est probablement plus facile pour les adeptes d'une religion disposant d'une iconographie que pour ceux qui pratiquent une religion plus austère. Quoi qu'il en soit, la foi constitue un tel avantage pour le développement de la vie intérieure que, même sans le support d'une iconographie spécifique, le fidèle est privilégié par rapport au matérialiste en ce qui concerne la Visualisation Créatrice.

Certes, tous les croyants n'adorent pas, tous les croyants ne prient pas. Peut-être seront-ils néanmoins séduits par certaines des idées exposées ci-après. Peut-être souhaiteront-ils se représenter la divinité en laquelle ils croient. Alors ils pourront plus facilement franchir le pas qui mène à l'adoration et à la prière.

« Mais comment prier ? » se demandent certains. Vous pouvez commencer comme les enfants commencent à parler, avec un seul mot; certaines des prières les plus importantes et les plus efficaces au monde se sont souvent limitées à un unique mot. Quant au reste, il n'est pas de mots ni de formules obligatoires pour s'adresser à son dieu. Rien n'est plus intime et unique que la relation entre divinité et croyant, que vous utilisiez des termes que personne n'a encore jamais employés pour l'adoration, ou que vous utilisiez les mêmes mots que des centaines de milliers d'autres fidèles. *L'important est que ces mots constituent votre prière* et vous aurez découvert l'une des plus grandes sources de force, d'inspiration, de pénétration spirituelle, de joie et de confiance à tous les niveaux de l'être, que l'humanité ait jamais connue en tous lieux et en tous temps.

En ce qui concerne la visualisation, nous ne prétendons pas que l'homme devrait représenter sous une forme visible le ou les dieux qu'il adore. Mais, si vous souhaitez accroître les bienfaits que peut vous apporter la Visualisation Créatrice dans votre adoration et votre prière, vous devez vous demander s'il existe un Être spirituel que vous pouvez évoquer dans votre imagination visuelle, soit comme destinataire, soit comme messager de vos requêtes à la divinité.

Pour ceux qui parviennent à adorer leur dieu sous une forme symbolique traditionnelle, ou pour les adorateurs d'une divinité incarnée, il est inutile d'ajouter d'autres conseils quant à l'Être divin qu'ils doivent visualiser. Mais si vous éprouvez quelque difficulté, peut-être seriez-vous heureux de vous représenter votre ange gardien, ou un saint, et de lui demander de transmettre vos prières et vos requêtes à la divinité. (Votre saint peut être celui dont vous portez le nom ou un saint associé à votre projet de visualisation. Ou ce peut être quelqu'un qui n'est reconnu comme saint par aucune église : une personne décédée, par exemple un grand-père que vous aimiez et que vous vénérez. Comme le découvrirent les premiers missionnaires en Chine, la « vénération des ancêtres » et celle des saints sont, au fond, très voisines !

Vous pouvez, bien évidemment, visualiser à la fois votre dieu et un saint ou un ange intercesseur, mais dans tous les cas, veillez à « voir » cet Être sous une forme aussi aimable et bienfaisante que possible : radieux, fort, accueillant et plein de compassion. Une image ou une statue vous aideront probablement dans votre visualisation. *Mais attention ! Vous ne devez attribuer aucun pouvoir à la représentation matérielle de la divinité ou du saint,* vous ne devez pas davantage en faire un fétiche ou un talisman. Cette représentation doit simplement vous aider à créer, aussi clairement que possible, votre image visualisée intérieure, et à prier avec conviction.

Un hindou expliquait comment, par la prière, il offrait des lumières et des fleurs avec amour et adoration à l'image de sa divinité. « Mais une fois mon adoration terminée, disait-il, je laisse la statue de pierre sur l'autel et je replace la véritable image en mon cœur. »

Plus vous parviendrez à créer « la véritable

image dans votre cœur », plus cela vous sera bénéfique. Aussi convient-il de vous livrer à vos dévotions de façon régulière pendant un certain temps avant de solliciter quelque chose par cette méthode.

Dans certains cas dramatiques, il arrive que des individus qui n'ont jamais prié aient recours à la prière et s'adressent pour la première fois à une divinité; et fréquemment ces individus sont exaucés. *Dans ces cas-là, nous avons accès à des domaines de l'Esprit Profond qui en temps normal nous sont fermés; mais nous ne pouvons espérer, sans pratique, prier efficacement quand aucune crise ne menace.*

Aussi, si vous vous engagez dans la voie de la dévotion, suivez-la avec persévérance et avec toute la ferveur que vous pourrez trouver en vous.

Installez un petit autel, ou un « coin spécial » pour vos dévotions. Vous pouvez prier debout, assis, à genoux... Dans plusieurs religions traditionnelles, les dévotions s'accompagnent de toute une série de postures. Si possible, prenez l'habitude d'allumer une lampe ou des cierges lors de vos prières. Des fleurs ou de l'encens pourront aussi orner votre autel. *Mais, en tout état de cause, visualisez lorsque vous priez.* C'est absolument essentiel.

Si vous pensez que votre dieu est Lumière, visualisez cette Lumière. Si vous pensez qu'il est une présence quasiment concrète au sommet d'une montagne ou dans une grotte, imaginez-vous au sommet de cette montagne ou dans cette grotte avant de commencer à prier.

Lorsque vous souhaitez atteindre un objectif par la prière, les principes essentiels demeurent les mêmes, que vous vous adressiez à un intercesseur ou directement à votre dieu. Toutefois, quelques détails diffèrent :

A) Si vous devez visualiser le dieu que vous priez – *et non un intermédiaire* –, procédez comme suit :

1. Visualisez d'abord votre objectif, qu'il s'agisse d'un bienfait pour l'âme ou le corps, pour vous ou pour quelqu'un d'autre. Créez une image précise de la personne qui a recouvré la santé, par exemple, ou vous-même recevant votre diplôme après un examen. Ou, si l'objectif que vous visez est concret et visible, représentez-vous l'objet lui-même, de préférence en « voyant » son destinataire – vous ou une autre personne – en train de l'utiliser.

2. Visualisez votre dieu, sous forme humaine ou simplement comme une Lumière éclatante et bénéfique.

3. Passez à l'adoration de votre dieu, comme vous le faites d'ordinaire pour la prière ou comme vous en avez maintenant l'habitude.

4. Indiquez clairement et avec précision ce que vous souhaitez. Précisez sans hésitation qu'il s'agit d'un *besoin*; laissez parler vos émotions.

5. « Voyez » l'objet de votre prière devenir radieux au contact de votre dieu, avant de vous être accordé; ou « entendez » – et répétez-vous – les mots qui vous disent que votre prière *sera* exaucée. Acceptez le don et témoignez de votre gratitude.

6. Laissez s'estomper doucement de votre conscience tout ce que vous avez visualisé.

7. Au cours de la journée, et pendant la nuit si vous vous réveillez, recommencez à visualiser comme indiqué en 5 ci-dessus – ne serait-ce qu'un instant – et témoignez à nouveau de votre gratitude.

8. Quand vous aurez effectivement obtenu dans le monde matériel ce que vous avez demandé par la prière, *ne manquez pas d'en remercier tout spécialement votre dieu.* Et poursuivez vos dévotions avec une foi renouvelée.

B) Si vous adressez votre requête à un intercesseur – *et même si vous devez également visualiser la divine présence* –, procédez de la manière suivante :

1. Procédez comme en 1) ci-dessus.

2. Visualisez l'intermédiaire choisi, ange ou défunt.

3. Accueillez-le et saluez-le avec foi et sincérité puis demandez-lui d'être l'intercesseur de votre requête (*sans en donner le détail, à ce stade*) auprès de votre dieu (*que vous nommerez*). Demandez à votre intermédiaire d'intercéder pour vous et d'obtenir ce que vous demandez.

SOYEZ CONVAINCU QUE VOUS SEREZ EXAUCÉ.

4. Visualisez votre intermédiaire allant présenter votre requête à votre dieu (en marchant, en volant...). Même si vous n'avez pas l'intention de visualiser votre dieu, il est important de « voir » votre intermédiaire délivrer votre requête.

5. Si vous avez l'intention de visualiser votre

dieu, faites-le maintenant. *Dans tous les cas*, concentrez votre attention sur lui et adorez-le en vous adressant directement à lui.

6. Exprimez clairement et avec précision ce que vous attendez. Précisez sans hésitation qu'il s'agit *d'un besoin*; laissez parler vos émotions. N'oubliez pas d'indiquer que le saint qui intercède en votre faveur (*nommez-le*) se joint également à vous.

7. Détournez votre attention de la divine présence et « voyez » votre intermédiaire revenir vers vous, radieux et heureux, avec votre vœu exaucé. « Voyez » l'objet en train de vous être remis ou « entendez » les mots qui vous disent que vous *serez* exaucé.

8. Laissez s'estomper doucement de votre conscience tout ce que vous avez visualisé.

9. Au cours de la journée, et pendant la nuit si vous vous réveillez, recommencez à visualiser comme indiqué en 7 – ne serait-ce qu'un instant – et témoignez à nouveau de votre gratitude.

10. Quand vous aurez effectivement obtenu dans le monde matériel ce que vous avez demandé par la prière, *n'omettez pas d'en remercier tout spécialement votre dieu*. Poursuivez vos dévotions avec une foi renouvelée – et n'oubliez pas le saint qui a intercédé en votre faveur.

Si vous choisissez le chemin de la dévotion, et quoi que vous souhaitiez obtenir, n'empruntez pas d'autres voies spirituelles. Bien entendu, si vous êtes malade, soignez-vous normalement tout en priant pour votre guérison; si vous devez passer un examen, étudiez tout en priant pour votre succès. Simplement, si vous souhaitez obtenir quelque chose par la dévotion selon la méthode indiquée ci-dessus, ne tentez pas d'obtenir une « assurance spirituelle » extérieure au système : si vous attendez du Ciel quelque chose de vital, n'allez pas jeter une pièce dans la fontaine pour obtenir la même grâce.

Dites-vous, comme les personnages de l'Ancien Testament, que votre dieu est « jaloux ». Même si cette idée de jalousie ne cadre pas avec celle que vous vous faites de lui.

Votre lien spirituel avec la puissance divine que vous avez invoquée, votre identification à cette puissance, la ferveur de vos dévotions ainsi que l'objet de vos prières (tout comme ce qui appartient au domaine matériel : médicaments, argent, etc.) sont « neutres » et peuvent parfaitement être utilisés par la puissance divine comme faisant partie du niveau matériel de cette voie.

Mais si vous faites intervenir d'autres voies mineures, notamment au niveau astral, dans cette image visualisée, vous pouvez provoquer une « fuite » dans le système. Dans ce cas, vous devrez tout reprendre au début.

Pensez aux divers aspects de votre dieu, puis à la vision qu'en ont eue certains mystiques inspirés. Pensez ensuite aux émotions ressenties et aux images spirituelles conçues à travers les âges par les innombrables fidèles, et vous comprendrez pourquoi certains grands lieux sacrés sont demeurés des centres vivants de foi et de miracles depuis des siècles.

N'oubliez jamais ceci : derrière votre visualisation se trouve la réalité d'un dieu; une réalité plus réelle que toute chose terrestre, une puissance plus puissante et plus empreinte de bonté que nous ne pouvons le concevoir. Apprenez à demander – avec une totale confiance et une claire perception de vos besoins réels – et vous comprendrez qu'il n'existe aucune limite à l'abondance, à la fois spirituelle et matérielle, dont vous aurez le bonheur de bénéficier.

ANNEXE E

Comment préserver votre santé

Cet ouvrage témoigne de toute l'efficacité de la Visualisation Créatrice pour recouvrer la santé. La Visualisation Créatrice peut également aider *chacun de nous* à rester en bonne santé.

Une alimentation saine, du repos, de l'air pur, de l'exercice : tout cela y contribue, mais l'important est d'en recueillir tout le bénéfice – non seulement physique mais également mental et émotionnel.

Il ne suffit pas d'appliquer ces excellents principes, encore faut-il savoir ce qui nous est indispensable. La question se pose quand des individus survivent dans des conditions où, d'ordinaire, toute survie serait impossible. Or on s'aperçoit toujours qu'ils *avaient la certitude* de survivre. Dans des cas de sévères pénuries alimentaires, certains se contentent de leur maigre ration alors que d'autres pensent qu'ils vont mourir de faim. Les premiers survivent car ils n'ont pas peur.

Nous ne parlons pas ici de jeûne total. Certes, certains peuvent y résister longtemps alors que d'autres en meurent rapidement. Nous recherchons seulement ce qui permet au corps de tirer tout le bénéfice et la satisfaction de la nourriture *effectivement* absorbée; et, manifestement, ce n'est pas dans le corps qu'il faut chercher mais dans l'esprit.

C'est une importante question à notre époque où le problème de la faim touche autant ceux qui mangent trop que ceux qui souffrent de la famine.

Pour beaucoup, la boulimie est la conséquence normale du stress et de l'anxiété. De toute évidence, il ne s'agit pas d'un trouble de l'esprit conscient; pour en découvrir la cause, il nous faut chercher dans les mécanismes de la nature émotionnelle et instinctuelle.

La crainte de manquer de nourriture est une peur ancestrale, viscérale, commune à tous les êtres vivants. La conséquence directe de cette peur est tout à fait logique et prévisible : lorsqu'on dispose de nourriture, la tendance naturelle est d'en avaler autant que possible. Ce qui peut apparaître comme le résultat d'une réflexion rationnelle est en fait tout à fait instinctif, profondément lié à l'instinct élémentaire de survie.

Notre Esprit Profond peut accomplir pour nous des prodiges, mais il demeure *sub-rationnel*; il agit essentiellement au niveau instinctuel de notre moi psycho-physique lorsque quelque chose nous angoisse, et si nous ne parvenons pas à éclaircir la situation pour notre Esprit

Profond, celui-ci risque de lier cette anxiété à la peur primitive de la faim. Et lorsque cela se produit, nous nous sentons contraints de manger *sur-le-champ*, autant que nous le pouvons.

C'est pourquoi on peut donner aux anxieux boulimiques les mêmes conseils que s'ils étaient sous-alimentés.

Certes, lorsque l'obésité menace la santé, il faut recourir à un avis médical pour perdre du poids sans tarder. De même, chacun doit suivre un régime alimentaire adapté à son âge, sa taille, son poids, son sexe, son travail et son état de santé et, là encore, il faut recourir au médecin en cas de trouble sérieux. Mais, ces cas exceptionnels mis à part, *il y a quelque chose que vous pouvez et devez faire pour vous-même* et que nul ne peut faire à votre place. Outre un régime sain, des soins médicaux appropriés, de l'exercice, etc., *vous devez veiller à ce que votre Esprit Profond sache que c'est bien là ce dont vous avez besoin.*

Aussi, quel que soit le problème que vous pouvez rencontrer avec la nourriture, vous avez tout intérêt à suivre les conseils suivants :

Assurez-vous d'abord que votre régime alimentaire est bien adapté à votre cas, indépendamment de ce dont vous pouvez disposer. Décidez que ce que vous avez est bon pour vous. Partagez cette décision avec votre Esprit Profond en parlant à haute voix, tranquillement mais fermement.

Pour les croyants, le fait de dire le bénédicité ou les grâces avant ou après le repas est un excellent moyen d'entraîner l'Esprit Profond, pourvu que les paroles soient assez précises pour faire passer le message. La nourriture est alors perçue comme un don de la puissance bénéfique qui veille sur nous; en acceptant ce don, c'est à la fois notre corps et notre âme qui sont nourris. La « Volonté » crowleyenne constitue également une excellente et utile formule : celui ou celle qui va prendre son repas énonce sa volonté de manger et de boire pour donner force à son corps afin d'accomplir sa destinée particulière.

Mangez lentement mais régulièrement. Évitez de lire, de regarder la télévision, de vous lancer dans une discussion animée ou d'écouter la radio. Tout en mâchant chaque bouchée, pensez à la force et à l'énergie qu'elle va vous apporter. (Veillez, surtout si vous avez tendance à l'embonpoint, à NE PAS focaliser votre attention sur l'aspect séduisant, l'odeur appétissante ou la saveur des mets.)

De temps à autre, pensez à ce que vous attendez de ce bon repas : trouver du plaisir à votre travail, au sport, à une sortie, jouir d'une meilleure santé, être plus séduisant, bien dormir et vous réveiller dispos. Visualisez vos muscles, vos nerfs, vos cheveux, votre peau, votre sang fortifiés par cette nourriture.

Songez et imaginez avec confiance que lorsque vous aurez terminé le repas qui vous est offert, vous vous *sentirez* satisfait et rassasié.

Il est bon de manger lentement pour deux raisons. Ainsi que nous le disent les médecins, les aliments sont ainsi plus digestes et plus nourrissants car une fois bien mâchés, ils sont mieux assimilés par l'estomac; en fait, la digestion commence avec l'action de la salive dans la bouche. D'autre part – et c'est également important – manger lentement permet à notre Esprit Profond de comprendre que la nourriture que nous absorbons nous fournit toute l'énergie souhaitable.

Nous avons abordé, au chapitre 2, l'importante question du repos et de la relaxation. Ajoutons ici qu'il est bon, *à tout moment* du repos – et même s'il ne s'agit pas de Relaxation complète – de s'assurer que toutes les principales parties du corps, y compris la tête et le visage, sont relaxées.

Quelques mots à présent sur l'insomnie. Plus grave que l'insomnie elle-même est l'anxiété qu'elle provoque. L'insomnie chronique doit être traitée médicalement, mais une nuit blanche de temps à autre n'a jamais tué personne ! En outre, à supposer que votre insomnie soit due à l'important travail qui vous attend le lendemain, le fait de vous angoisser n'arrangera pas les choses !

Si un problème vous empêche de dormir, essayez d'abord de le résoudre. S'il s'agit de votre travail du lendemain et que vous craignez de vous endormir avant de vous souvenir d'un détail, levez-vous et notez-le ou enregistrez-le au magnétophone.

Quand vous aurez regagné votre lit, décontractez-vous, refusez de vous laisser gagner par d'autres préoccupations. Pratiquez la Respiration Rythmique, respirez profondément et régulièrement. *Imaginez-vous en train de dormir.*

Vous finirez probablement par vous endormir; et même si ce n'est pas le cas, votre nuit sera plus reposante que si vous étiez resté anxieux et contracté.

Que faire si vous souffrez et n'avez pas de calmant ou ne souhaitez pas en prendre ? Essayer de vous convaincre que votre douleur n'existe pas ? Non seulement ce n'est pas facile, mais cela n'est pas souhaitable. Votre Esprit Profond, qui connaît la vérité, peut provoquer un « refoulement » de la douleur. En d'autres termes, l'expérience physique, émotionnelle et instinctuelle que vous avez peut-être conservée au-delà de la conscience resurgira plus tard.

Si vous ne pouvez mettre un terme à la douleur, « acceptez-la »; ce qui ne signifie pas s'y complaire. Si vous êtes attentif à un simple petit malaise physique, vous pouvez l'accroître de façon insupportable, tandis que vous pouvez vous accommoder d'une douleur importante en concentrant votre attention sur autre chose. Mais NE DITES PAS à votre Esprit Profond « Je n'ai pas mal » ou « La douleur n'existe pas ». Cela aurait pour effet, premièrement, de concentrer votre attention de façon négative sur l'objet même dont vous voulez la détourner et, deuxièmement, de perdre la confiance de votre Esprit Profond qui sait que la douleur est là.

Aussi, là encore, pratiquez la Respiration

Rythmique et essayez de vous décontracter. *Lorsque vous en arriverez aux muscles de la région douloureuse,* prenez bien soin de les relaxer autant que les autres. En cas de blessure, inflammation, névralgie, visualisez la zone comme guérie, apaisée, relaxée, la cause de la douleur ayant disparu. Vous pouvez trouver un réconfort en imaginant que des doigts légers et frais effleurent l'endroit douloureux. Lorsque vous visualisez ces doigts, veillez à non seulement les « voir » mais aussi à « sentir » leur contact ferme ou doux, leur fraîcheur, le bien-être qu'ils vous procurent.

Continuez la Respiration Rythmique, continuez à relaxer vos autres muscles. Restez détendu aussi longtemps que vous le pourrez, puis recommencez tout le processus, y compris la visualisation. Vous allez probablement vous endormir et vous vous réveillerez plus reposé que si vous aviez pris un analgésique. Dans tous les cas, vous aurez réussi à maîtriser la douleur, quelle qu'en soit la cause.

L'Esprit Profond est l'instrument et l'auxiliaire le plus merveilleux que nous possédions. Il faut cependant qu'il demeure votre instrument et votre auxiliaire et non pas votre maître. Avec tous ses merveilleux pouvoirs, l'Esprit Profond – la partie inconsciente de la nature instinctuelle et émotionnelle – fait partie du Moi Inférieur et il ne faut jamais le confondre avec le Moi Supérieur. De même que l'esprit rationnel doit apprendre à prendre conscience et à tenir compte des incitations du Moi Supérieur, de même l'Esprit Profond, qui fait partie du Moi Inférieur, doit être guidé et dirigé par l'esprit rationnel. Laissé à ses seuls mécanismes, l'Esprit Profond est tout à fait incapable de guider correctement votre vie. Nous avons vu comment, par exemple, vous pouvez vous inquiéter de votre voiture ou de votre promotion – ou même de votre apparence – tandis que votre Esprit Profond peut faire une interprétation totalement erronée et vous inciter à manger davantage pendant que vous en avez l'occasion. Nous en arrivons maintenant à un exemple de réaction sub-rationnelle que l'on peut judicieusement maîtriser.

Il existe dans notre nature instinctuelle et émotionnelle deux motivations profondes que l'on appelle souvent l'instinct de Lutte et l'instinct de Fuite. Lorsque quelque chose nous menace ou nous agresse, nous sommes poussés à réagir selon ces deux instincts. Certains facteurs nous pousseront à lutter, d'autres à fuir; mais tout d'abord, avant toute décision, les nerfs deviennent hypersensibles et les muscles se bandent, prêts à intervenir.

Que se passe-t-il si la menace n'appelle ni la lutte ni la fuite, comme c'est souvent le cas dans notre monde civilisé ? La tension accumulée provoquera probablement une migraine qui n'arrangera rien ! Mais supposons qu'il s'agisse d'une douleur physique comme celles que nous venons d'évoquer. La tension musculaire, dans la plupart des cas, ne fera aucun bien. En fait, elle peut être nocive car elle empêche le sang d'aller irriguer la zone douloureuse; la circulation sanguine a pour utilité, entre autres, de débarrasser le corps des toxines, de réduire l'inflammation, de nourrir les nerfs et les tissus.

Dans de tels cas, donc, il est souhaitable d'empêcher l'action de la nature émotionnelle et instinctuelle et, avec l'aide de l'esprit rationnel, d'amener le corps à une relaxation progressive. En outre, la Visualisation Créatrice peut faire naître dans l'Esprit Profond une image utile – celle des doigts doux et apaisants, par exemple – qui permettra d'obtenir des résultats que l'esprit rationnel serait bien incapable de provoquer tout seul.

De nos jours, l'air pur est un luxe. Si vous avez la chance d'habiter à la campagne ou au bord de la mer, c'est parfait; sinon, il est bien préférable, au lieu d'aller courir au milieu des gaz d'échappement, de pratiquer la Respiration Rythmique chez vous, parmi des plantes qui absorbent le gaz carbonique que vous *rejetez* et fournissent l'oxygène dont vous *avez besoin.*

La Visualisation Créatrice a un rôle tout à fait réel et traditionnel à jouer dans la Respiration Rythmique, notamment lors des séances de remise en forme.

L'air est un mélange : l'oxygène nous est indispensable, mais pas à l'état pur ! Pour respirer normalement, il nous faut aussi un peu de dioxyde de carbone et de vapeur d'eau, plus quelques autres éléments. En fait, la composition de l'air peut varier énormément sans que cela l'empêche de remplir son rôle. Aussi, lorsque vous pratiquez la Respiration Rythmique, ne soyez pas obsédé par la pureté de l'atmosphère ! Pensez plutôt à ce merveilleux processus : quand l'air arrive aux poumons, il charge d'oxygène le sang qui va nourrir et renouveler les tissus; en échange de l'oxygène qu'il apporte, le sang recueille l'acide carbonique des tissus et, à son retour aux poumons, s'en débarrasse en rejetant le dioxyde de carbone dans l'air expiré.

Il s'agit là d'une image simplifiée, mais il est inutile d'entrer dans des détails physiologiques complexes alors qu'il vous suffit d'avoir une *image mentale claire*.

Lorsque vous respirez – et notamment lorsque vous pratiquez la Respiration Rythmique –, vous pouvez facilement vous représenter ce processus qui se déroule pour le bien de votre corps. Pendant que vous respirez, « voyez » l'oxygène rapidement transporté par le sang dans toutes les cellules du corps; et, lorsque vous soufflez, « voyez » le sang rapporter les impuretés aux poumons qui les rejettent.

Mais vous pouvez aller au-delà de l'aspect purement physique. Vous pouvez faire bien davantage pour vous-même.

Visualisez la Lumière de votre Moi Supérieur qui vous entoure, brillante et vivifiante.

Lorsque vous respirez, « sentez » cette Lumière – radieuse, tiède, porteuse de joie et de bien-être – que vous inhalez en même temps que l'air, aspirée par vos poumons, passant dans votre sang, brillant dans votre cœur et dans tout le corps, répandant paix, force et bénédiction. (« Envoyez-la », par la volonté et l'imagination, notamment dans telle ou telle région du corps qui en a le plus besoin.)

Lorsque vous soufflez, et que le dioxyde de carbone et les autres impuretés s'évacuent, « sentez » s'envoler également toutes vos pensées négatives, votre fatigue, vos doutes et vos craintes. *Quand vous aspirez l'oxygène, faites entrer en vous, de nouveau, la joie, la paix, la force et la bénédiction que vous apporte la radieuse Lumière spirituelle.*

Cette pratique, ainsi que vous vous en rendrez compte, n'est pas « pure imagination ». Votre Moi Supérieur est vraiment présent pendant tout ce temps et la prise de conscience de sa présence est toute Lumière et Amour. Pour recevoir ses bienfaits, il vous suffit d'être conscient, de vous y ouvrir en toute confiance, de souhaiter connaître cette force et cette joie. Ce que vous permet la pratique de la Respiration Rythmique.

Ainsi, l'air que vous respirez ne constitue pas seulement un bien physique; il devient un *puissant symbole* qui vous apporte un bien spirituel plus important encore. Les hommes ont toujours eu recours aux biens matériels pour symboliser le véritable pouvoir spirituel : le sel comme antiseptique spirituel, un anneau ou un cordon pour une union spirituelle, un couteau ou un glaive pour la division, l'eau pour la purification spirituelle et le renouveau. L'Esprit Profond comprend et accepte ce langage symbolique et reçoit la réalité spirituelle en même temps que le signe. Aussi, en même temps que la purification physique, le renouveau et la vie qu'apporte l'air que vous respirez, vous pouvez envoyer à toutes les parties de votre moi intérieur – *sous une forme que votre Esprit Profond connaît et accepte* – la bénédiction, l'amour et la vie en votre Moi Supérieur.

Le sport est un autre moyen de conserver la santé et de l'améliorer. Tout le monde, pratiquement, a besoin de faire de l'exercice; et tous les exercices, simples ou complexes, modérés ou épuisants, gagnent à être associés à la Visualisation Créatrice.

Pour chaque exercice que vous pratiquez régulièrement, vous devez toujours savoir exactement quels muscles il fait travailler. *Avant de commencer un exercice*, demandez-vous en quoi il consiste et ce qu'il vous apporte. Ensuite, visualisez-vous en train de faire cet exercice à la perfection. Puis passez à l'action, devant un grand miroir si possible. Vous devriez y puiser un plaisir accru et une amélioration de vos performances.

Si vous nagez, courez, jouez au tennis ou au football – quelle que soit votre activité physique –, asseyez-vous tranquillement de temps en temps et revoyez vos mouvements en imagination. Non pas de façon superficielle mais avec précision. « L'échauffement » musculaire est une excellente chose, mais « l'échauffement » imaginaire aussi, car il met en jeu la coordination entre l'esprit et le corps. Vous pouvez aller plus loin encore en vous visualisant en train de gagner un match. Cela ne remplacera pas l'activité physique, mais pourra utilement la compléter.

Et si vous découvrez que votre adversaire pratique également la Visualisation Créatrice ? Eh bien, ce sera pour l'un et l'autre une grande expérience, car vous serez l'un et l'autre au sommet de votre forme !

TABLE

2676

Composition Communication à Champforgeuil
Impression Brodard et Taupin
à La Flèche (Sarthe) le 8 septembre 1989
6211B-5 Dépôt légal septembre 1989
ISBN 2-277-22676-9
Imprimé en France
Editions J'ai lu
27, rue Cassette, 75006 Paris
diffusion France et étranger : Flammarion